D1287840

CONTRE DIEU

— *C'est vrai ?*

— *Tu vois que ça vaut la peine que je travaille le [di]manche de temps en temps !*

— *Comme si tes employés pouvaient pas se dé[br]ouiller sans toi !*

— *Je suis indispensable, tu le sais ben.*

— *(rires) C'est ça, oui. Tiens, les enfants veulent te [p]arler.*

— *Passe-les moi.*

— *Salut, papa.*

— *Salut, ma grande. T'as été gentille avec mamy ?*

— *Oui. Elle nous a donné beaucoup de chocolat. Pis [à] moi, elle a donné des sous, pour mon p'tit cochon. [Q]uatre dollars parce que j'ai quatre ans.*

— *T'es chanceuse, hein ?*

— *Je t'aime, papa. J'ai hâte de te voir.*

— *Moi aussi, je t'aime.*

— *Je te passe Alexis.*

— *A'ô, papa...*

— *Allô, champion. T'as été fin toi aussi avec mamy ?*

— *Voui...*

— *Pis elle t'a donné des bonbons, il paraît ?*

— *Voui. 'eaucoup.*

— *Pis t'en as-tu gardé pour moi ?*

— *Non. Vai mangé toute.*

— *Ah, mon gourmand ! Je t'aime, mon tit-homme.*

— *'e p'aime, papa.*

— *Passe-moi maman.*

— *Bon, on part. Qu'est-ce que tu dirais d'un film [c]ollé-collé ce soir ?*

— *Bonne idée. Arrête au club vidéo en passant.*

PATRICK SENÉCAL

CONTRE DIEU

ROMAN

Nous remercions le Conseil des Arts du Canada de l'aide accordée
à notre programme de publication, et la SODEC pour son appui
financier en vertu du Programme d'aide aux entreprises du livre
et de l'édition spécialisée.

Nous reconnaissons l'aide financière du gouvernement du Canada
par l'entremise du Fonds du livre du Canada (FLC) pour nos
activités d'édition.

Gouvernement du Québec – Programme de crédits d'impôt pour
l'édition de livres – Gestion SODEC

Conception graphique de la couverture : Marc-Antoine Rousseau
Composition typographique : Nicolas Calvé
Conception du catalogue : Ghislaine Guérard
Révision linguistique : Maxime Catellier
Correction d'épreuves : Annabelle Moreau

© Patrick Senécal et Les 400 coups, 2010

Dépôt légal – 4e trimestre 2010
Bibliothèque et Archives nationales du Québec
Bibliothèque et Archives Canada

ISBN 978-2-923603-83-4

Catalogage avant publication de Bibliothèque et Archives
nationales du Québec et Bibliothèque et Archives Canada

Senécal, Patrick

    Contre Dieu
    ISBN 978-2-923603-83-4

I. Titre.

PS8587.E544C66 2010   C843'.54   C2010-941867-0
PS9587.E544C66 2010

— *La journée s'est très bien passée.*

— *Tant mieux. Ta mère va bien ?*

— *En pleine forme. Franchement, elle
te fait dire bonsoir.*

— *Dis-lui bonsoir de ma part aussi.
bientôt ?*

— *Dans deux minutes, on aura nos n
le dos. Il neige pas, on devrait être à la mai
heure. T'as soupé ?*

— *Je viens juste de finir. Je me suis fa
une tourtière.*

— *Toujours aussi cordon-bleu... Pis au*

— *Pour un dimanche aussi ensoleille
grosse journée. Tout le monde est venu ac
je sais pas trop pourquoi. Mais je m'en plai
J'ai l'impression qu'on va aller en Floride
l'automne prochain, au lieu de deux.*

— *OK. J'ai hâte de te voir.*

— *Moi aussi.*

et ça commence quand tu vas répondre à la porte pour te retrouver face à deux flics qui te dévisagent comme s'ils portaient la misère humaine sur leurs épaules, ils te demandent ton nom, et ta réponse n'arrange rien car leurs visages s'affaissent de plusieurs centimètres, alors tu attends, la main gauche sur le bouton de la porte, la droite refermée sur la télécommande de la télévision, et tu finis par demander ce qui se passe, ils te demandent si ta femme est bien Judith Péloquin, et ta voix est maintenant plus forte, ta voix est maintenant tremblante quand tu répètes ta

— *Criss, que c'est qui se passe, là ?*

question, puis l'un des deux ose enfin te regarder dans les yeux, il t'explique, tu l'écoutes, d'abord l'incrédulité, ensuite la peur, finalement le refus, évidemment, ton vieux réflexe face à ce que tu ne veux pas accepter, et tu dis que c'est impossible, et tu dis que tu leur as parlé il y a une heure, et tu le martèles sur le ton de celui qui n'acceptera aucune contestation, mais l'agent précise qu'ils ont été découverts il y a environ trente minutes, tu refuses toujours, tu cries « non » plusieurs fois, tu veux même fermer la porte mais ils t'en empêchent, ils entrent, ils tentent doucement de te calmer, mais toi tu te dégages, tu marches à travers la pièce, tu vocifères que c'est une erreur, tu te rends compte que tu tiens toujours la télécommande, que la télé diffuse toujours le DVD sportif que tu écoutais avec tant de plaisir il y a cinq minutes à peine, et tout à coup tes jambes ne peuvent plus te supporter, tout à coup tu t'effondres, tu tombes, tu chutes, genoux au sol, et tes sanglots, et tes cris, et tes mains qui tirent tes cheveux, et de tout le laïus des policiers tu ne retiens que la fin, qu'il faudrait venir pour l'identification des corps, aussitôt tu bondis sur tes pieds, oui, tu veux absolument les voir, maintenant, tout de suite, et tu montes dans la voiture des flics, vous roulez jusqu'à l'hôpital, mais quand on te montre le corps de Judith, toute ta fébrilité se dissout, devient vaines volutes amères qui s'éparpillent dans l'univers, et quand tu reconnais Béatrice tu te remets à pleurer, mais ce troisième corps, tu ne le reconnais pas, il s'agit bien d'un garçon d'environ deux ans mais comment savoir si c'est Alexis, le visage est trop défiguré, trop démoli, finalement tu remarques la tache de naissance sur la cuisse gauche et à partir de ce moment tu sombres dans la confusion, dans l'hystérie, au point où l'on doit t'injecter un sédatif qui te plonge dans le sommeil pendant toute la nuit, puis tu te réveilles dans un lit inconnu d'une chambre d'hôpital, tu tournes la tête et aperçois Jean-Marc, le frère aîné de Judith, cravate détachée, air hagard, il constate ton réveil, s'approche, te serre dans ses bras, vous pleurez tous les deux un moment, mais tu veux comprendre, en savoir plus, tu demandes des explications, alors Jean-Marc te raconte péniblement, doit s'interrompre pour se moucher, pour maîtriser ses tremblements de voix, mais tu saisis l'essentiel, la voiture de Judith est tombée dans un ravin, sur cette saleté de route en zigzags que tu as empruntée si souvent, dans ce tournant étroit que tu connais tant, la voiture a fait plusieurs tonneaux avant de s'écraser plus bas, contre le mur de pierre, est-ce que Judith aurait manqué la courbe, est-ce qu'une voiture en sens inverse aurait pris le tournant trop large et aurait ainsi obligé ta femme à se précipiter dans le décor, les flics ne savent pas, mais ils optent pour la première hypothèse, il y avait tout de même une mince couche de glace sur la route et si une autre voiture avait été en cause, elle se serait sans doute arrêtée, mais comment savoir, la police enquête de toute façon, mais tu cesses d'écouter, la tête tournée vers la fenêtre, le regard désorienté, et tu marmonnes que tu ne peux pas t'occuper des formalités, des funérailles, de tout ça, tu t'en sens tout simplement incapable, et tu éclates en sanglots en répétant que tu n'y arriveras pas, que c'est trop, juste trop, et Jean-Marc te prends le bras, Jean-Marc te dit qu'il va s'occuper de tout, Jean-Marc qui a toujours été si généreux, si serviable, et tu l'examines un moment avec perplexité, tu tournes la tête, le regard lointain et nébuleux, silence, murs verts, voix en provenance de l'interphone, toussotements dans les corridors, et lorsque tu parles enfin

— *Je veux que les funérailles se fassent rapidement. Avant le week-end. Le plus vite possible.*

tu regardes toujours par la fenêtre, Jean-Marc approuve, il te prend à nouveau dans ses bras et tu te laisses faire sans réagir, enfin il part, tu es seul, tu ne fais rien, absolument rien, tu sors de l'hôpital au bout d'une heure mais tu as la surprise de tomber sur sept ou huit individus qui s'approchent, caméras, magnétos, journalistes avides de commentaires, qui tendent leurs micros vers

toi comme des sucettes empoisonnées, et tu es pris
de court, et tu allonges le pas, et tu dis que tu n'as
aucun commentaire, ta voix calme, ton regard fuyant,
mais ils te suivent, jusqu'à ce taxi dans lequel tu
montes en répétant ton refus, étonnant de voir à quel
point ta voix est en contrôle mais je suis sûr qu'inté-
rieurement, tu bouillonnes, le calme n'a jamais été ta
principale vertu, mais en ce moment tu te contiens, le
taxi qui roule, tu ne bouges pas, tu te masses seulement le visage avec une extrême lenteur, vingt
minutes, arrêt, descente, tu marches vers l'entrée de ta
maison mais tu t'arrêtes, mais tu l'examines, mais tu
l'étudies, l'effroi dans ton regard, tu fouilles dans tes
poches, tes clés sont là, alors tu montes dans ton automobile et tu démarres, tu roules vers la Ville, l'horloge du tableau de bord indique dix heures quarante,
tu atteins le pont nord en moins de trente minutes,
tu le traverses, les gratte-ciel qui déchirent le ciel au
loin, les rues mouvementées, les piétons partout, enfin
tu t'arrêtes dans un quartier où s'empilent duplex et
triplex, montes l'escalier d'un duplex, sonnes à une
porte, deux longues minutes, la porte qui s'ouvre,
Sylvain tout endormi, ses cheveux noirs épais et bou-
clés, en bataille, il est très surpris de te voir, rigole en
affirmant qu'il doit se passer quelque chose d'important pour que tu viennes le voir un lundi matin, mais
il enregistre enfin ton air de zombie tout droit sorti de
ces vieux films d'horreur que vous aimiez tant regarder tous les deux quand vous étiez ados, alors il te dit
d'attendre un moment, disparaît, deux minutes, puis
une jolie fille d'environ vingt-cinq ans passe devant

toi, te décoche un regard rancunier, s'éloigne sur le trottoir, puis Sylvain revient, t'invite à venir t'asseoir mais tu ne peux attendre d'entrer, tu le lui

— *Ils sont tous morts, Sylvain.*

dis maintenant, sur le seuil, mais il ne comprend manifestement pas, sourcils froncés, tête un peu tournée vers la droite, alors tu sanglotes et là, oui, il comprend, l'horreur, l'impensable, l'impossible, il t'attrape, t'oblige à entrer, tu te laisses faire, tu trembles de tous tes membres, vous êtes debout au centre du salon et vous pleurez ensemble, enlacés, deux ruines qui s'appuient l'une sur l'autre pour ne pas s'écrouler, puis ce sont les questions, tes explications confuses et fragmentées, lacérées de sanglots et de cris, alors Sylvain appelle le disquaire où il travaille et prévient qu'il ne pourra entrer au magasin cet après-midi, il envoie même son interlocuteur se faire foutre quand celui-ci commence par refuser, mais tu t'objectes, argues qu'il risque d'être congédié, mais Sylvain s'en fout, Sylvain te rappelle qu'il ne conserve jamais un emploi plus de six mois, il sort une bouteille de scotch, deux verres sont bus en quelques secondes et deux autres suivent, et l'appartement devient rapidement le théâtre de votre communion dans la rage, le désespoir et l'incompréhension, et il y a une phrase que tu répètes

— *Qu'est-ce que j'ai fait de pas correct?*

trois ou quatre fois, et pendant tout ce temps tu ne peux t'empêcher de reluquer le décor du modeste trois et demi de ton ami, deux ou trois laminés quelconques sur les murs, vieille télé et antique chaîne stéréo, murs jaunis par la fumée de cigarette, Sylvain finit par remarquer ton manège, te demande ce qu'il y a, mais ta réponse

— *C'est tellement différent... Tellement différent...*

demeure obscure, Sylvain te demande différent de quoi, mais tout à coup tu appelles Guy avec ton cellulaire, le préviens que tu n'entreras pas au magasin aujourd'hui, il devra passer les commandes seul, tu ne donnes aucune raison et tu coupes, fixes longuement ton cellulaire en marmonnant que depuis l'ouverture de ton magasin il y a six ans, tu as manqué seulement quatre journées de travail la semaine, Sylvain te trouve imbécile d'avoir ce genre de considérations, et un autre verre, et un autre cul sec, et ton ami décrète que tu couches chez lui cette nuit, ton ami te jure qu'il ne te laissera pas seul une minute, ton ami pleure à nouveau, mais tu refuses, ça n'a pas de sens, tu ne peux pas désorganiser sa vie comme ça, mais il repousse ton refus d'un

— *Voyons, quelle organisation ? Ostie, profites-en : pour une fois que mon absence d'organisation va servir à quelque chose !*

large geste de la main, et tu le dévisages alors avec une perplexité rageuse, frappé par ces mots, puis tu te lèves, pressé, agité, tu dois partir, Sylvain n'en revient pas, t'ordonne de rester, mais non, tu ne peux pas, alors Sylvain court vers sa chambre, dit qu'il s'habille, qu'il va t'accompagner, mais tu lui cries que tu le rappelles ce soir, juré, et tu es déjà dehors, cours presque vers ta voiture, montes, jettes un regard vers l'appartement de Sylvain comme si tu le voyais pour la première fois, alors tu démarres, le plus vite possible, comme si tu fuyais les bras d'une maîtresse vicieuse, tu traverses le pont nord, roules sur l'autoroute, retournes dans ton patelin, rues tranquilles, mais tu roules vite, très vite, et le mur de ciment là-bas au virage, qui grossit de plus en plus, mais tu ne ralentis pas, mais tu ne tournes pas, ton visage qui se durcit, le volant que tu serres, puis tout à coup les freins que tu écrases, hurlements, le tien et ceux des pneus, la voiture s'arrête à quelques centimètres du mur, mais pas toi, toi tu hurles, tu hurles, tu hurles, et quand la voiture s'arrête devant chez toi quelques minutes plus tard et que tu en sors, elle est encore pleine de l'écho de tes cris, mais il y a ces gens qui t'attendent, dehors, les pieds dans la neige, quatre, encore des caméras, encore des micros, tu évites de les regarder, aucun commentaire, n'insistez pas, rien à dire, toujours calme mais la voix un peu plus impatiente que ce matin, mais ils n'abandonnent pas, ils insistent, ils te suivent jusqu'à la porte et juste avant d'entrer, tu vois deux voisins dans la rue, pas très loin, ils assistent à la scène, curieux, voyeurs, et enfin tu refermes la porte, enfin tu te laisses tomber dans un fauteuil, enfin tu ne bouges plus, la télévision est ouverte et affiche un écran bleu, ton regard fait le tour de la pièce, s'arrête sur chacun des objets pendant de longues minutes, photo de famille sur le mur, peinture d'un paysage sur l'autre mur, DVD sportifs dans la bibliothèque, foyer, deux plantes dans chaque coin, petite table avec les bibelots que Judith collectionnait, jouets d'Alexis qui traînent dans un coin, plus tu te brûles les yeux sur ces reliques, plus tes globes oculaires s'enfoncent dans leur orbite, comme s'ils allaient tomber à l'intérieur de toi-même, le téléphone sonne plusieurs fois durant ce long examen mais tu ne réponds pas, puis la faim, dix-neuf heures, il fait noir dehors, tu vas à la cuisine, fais réchauffer le reste de la tourtière d'hier, la manges avec du ketchup, observes la cuisine avec la même attention que tu as étudié le salon, hypnotisé par chaque objet, par le rangement, par les comptoirs propres, puis tu retournes fouiller dans l'armoire, sors le pain, sors le beurre d'arachide, sors le fromage, te fais deux sandwichs et les manges en buvant du jus de raisin, celui des enfants, tu n'as plus faim mais tu avales, tu t'empiffres, tu engouffres, crème glacée, biscuits, galettes, tu rotes, grimaces de douleur, te prends le ventre à deux mains mais tu ne t'arrêtes pas, et tu ne ranges rien, et tu ne refermes aucun pot, et tu fais des miettes partout, puis tu es pris de nausées, tu portes la main à ta bouche mais tu ne bouges pas, ne marches pas vers la salle de bain, tu ouvres plutôt la bouche et ça sort, ça fuse, ça gicle sur l'îlot de la cuisine, un long jet de vomi qui éclabousse tout, tu essuies ta bouche et retournes au salon, tu y restes jusqu'à tard la nuit, inerte, puis tu te lèves, montes dans ta chambre à coucher, te déshabilles et te couches après avoir mis sur ton visage ton masque antiapnée du sommeil, cette machine sur laquelle tu es branché depuis deux ans, à laquelle tu as eu tant de difficulté à t'adapter mais qui est censée être essentielle, le docteur te l'a dit il y a

— *Vous avez trente-trois ans, vous êtes encore jeune, mais dans quelques années vous serez plus à risque pour les crises cardiaques et l'apnée du sommeil augmente ce risque. Je vous conseille de prendre la machine. C'est embêtant, mais c'est mieux pour vous. Vous mettez ainsi toutes les chances de votre côté pour avoir une meilleure qualité de vie.*

deux ans, tu fermes les yeux, le masque sur ton visage t'envoie de l'air en continu mais tu ne t'endors pas, tu te mets même à trembler, tu te lèves et vas dans la chambre des enfants, tu observes leurs deux petits lits, surtout celui d'Alexis qui a toujours ses barreaux de sécurité, tout à coup tu les arraches, les fracasses contre les murs, frappes les jouets, les photos, les lits, tout fend, tout éclate, des morceaux de bois t'atteignent aux bras et sur la joue, puis tu t'écroules en larmes au milieu de ton saccage, et enfin le sommeil, sans rêve, jusqu'au matin très tard, c'est la sonnerie de la porte d'entrée qui te réveille, tu demeures étendu tandis qu'on sonne trois, quatre, cinq fois, finalement le silence, tu te lèves, t'approches de la fenêtre, une voiture qui s'éloigne, celle d'Alexandre, un de tes amis qui n'habite pas très loin, tu marches parmi les débris, vas à la chambre de bain, examines la minuscule coupure sur ta joue, attrapes la bouteille de désinfectant, l'ouvres, mais tu arrêtes ton mouvement, mais tu examines la bouteille, mais tu hésites, ton reflet dans le miroir, alors tu portes la bouteille à tes lèvres, tu emplis ta bouche de désinfectant, tu le gardes sans l'avaler en scrutant ton reflet, puis tu recraches le liquide dans le miroir, ton reflet maintenant tout dégoulinant, comme si tu fondais, et tu t'assois sur la cuvette, et tu défèques, et tu te lèves, étudies avec attention tes excréments, enfin tu sors de la pièce, descends à la cuisine, la vue du bordel et des vomissures te fait retrousser le nez légèrement, tu prends les messages sur le répondeur, toute la famille de Judith y passe, bouleversée, tétanisée, surtout sa mère, en pleine crise d'hystérie, et ces deux messages de journalistes qui veulent une entrevue, et le message de Jean-Marc qui s'est occupé de tout, qui veut tout t'expliquer, qui attend de tes nouvelles rapidement, et toi tu écoutes ce dernier message attentivement, puis tu le fais recommencer, et encore, et encore, et à chaque écoute, tes traits se crispent de plus en plus, surtout lorsque certains mots traversent tes oreilles, comme « détails », « s'occuper de », « signatures », et tu finis par raccrocher violemment, en serrant les lèvres à t'en faire mal, tu reprends ton calme et appelles Jean-Marc, il te demande comment ça va et se tait aussitôt, mal à l'aise, je suis convaincu qu'il regrette sa stupide question mais il est trop tard, tu lui demandes d'ailleurs s'il veut vraiment que tu répondes à sa « criss de question de moron », il bredouille qu'il est désolé, tu ajoutes que tu l'es aussi mais ta voix demeure froide, puis il t'explique que tu dois signer plein de trucs, il t'offre d'aller chez toi mais tu préfères aller le rejoindre à son travail, il dit qu'il ne travaille pas aujourd'hui, qu'il en est incapable, il affirme cela sur le ton de l'évidence, presque du reproche, mais tu insistes, tu ne veux pas aller chez lui, tu ne veux pas qu'il vienne ici, alors il accepte à contrecœur de te rencontrer à son bureau, tu raccroches, préparation du déjeuner, mais il y a le dé-

sordre complet de la cuisine, il y a les traces de vomis-
sure, il y a la saleté et les souillures, tu te sauves donc
au salon avec ton assiette, manges assis sur le divan, y
demeures une bonne heure, laisses l'assiette et la tasse
sur le plancher et montes dans ta chambre, coup d'œil
dans la garde-robe, mais finalement tu remets les
mêmes vêtements que la veille sauf les sous-vêtements,
rez-de-chaussée, manteau, bottes, les bottes usées que
Judith ne pouvait plus voir, elle n'arrêtait pas de te
harceler pour que tu t'en choisisses de nouvelles, toi
qui possèdes un magasin de sport, c'est pourtant
simple d'en ramener une paire neuve, elle se moquait
de toi avec cette histoire de bottes, tu sors de la maison, tu reconnais les deux journalistes qui font le pied
de grue sur le trottoir, aussitôt ils s'approchent rapidement, comme des chiens qui sentent la curée, mais
ils n'ont pas dit un mot que tu

— *Ostie de calice, je vous dis non calmement, mais
ça donne rien ! On a beau être civilisé, faire ça comme
il faut, ça marche pas, calice ! Ça marche pas !*

exploses, te penches,
ramasses de la neige, formes une boule grossière, et tu
la lances, et tu vociferes, et tu leur expédies d'autres
boules, eux détalent, remontent dans leurs voitures
et filent, et toi tu lances encore quelques projectiles
vers les véhicules maintenant trop éloignés puis tu
t'arrêtes, une boule toute faite dans ta main droite, tu
regardes autour de toi, ton voisin Michel est là, il
profite de son heure de lunch pour faire un fort de
neige pour ses enfants, ses trois enfants qui jouaient
souvent avec Béatrice, il est là, dehors, sa pelle à moi-

tié enfoncée dans la neige, figé, consterné, tu soutiens son regard, presque comme si tu le défiais, il balbutie enfin quelques paroles, il a lu *ça* dans les journaux, il ânonne des mots comme « épouvantable », « horrible », ton visage s'adoucit, un « merci » inaudible franchit tes lèvres sèches, tu regardes tout ça, le fort de neige à moitié érigé, la maison de Michel, les luges de ses trois enfants, tu serres la boule de neige dans ta main jusqu'à la pulvériser, alors tu marches, non, te sauves vers ta voiture, la voix de Michel derrière, « *si t'as besoin de quelque chose...* », tu claques la portière sur ces paroles absurdes, démarres, nouvelle envie de vomir, mais ça passe, autoroute, pont nord, la Ville, centre-ville, grand bureau d'architecte de ton beau-frère, tu es assis devant lui, ses yeux sont cernés, il est mal en point, il t'explique que l'exposition au salon funéraire sera jeudi et le service vendredi matin, pleins d'autres détails par rapport à l'argent, aux successions, des trucs techniques que tu enregistres à peine, trop occupé par ta contemplation du design high-tech, des tableaux modernes sur les murs, de la fenêtre avec vue sur la Ville, et quand Jean-Marc tend plusieurs feuilles devant toi pour que tu les signes, tu lèves la tête vers lui, ton regard empli d'incompréhension, mais ta voix posée, presque

— *Pourtant, j'ai fait comme toi. Pas la même job, c'est vrai : toi, t'as étudié pis toute, pis moi j'ai pas d'instruction, mais j'ai travaillé fort, j'ai ouvert mon magasin, j'ai réussi. J'ai fait ce qu'il fallait, autant que toi...*

clinique, il avale sa salive, il place une mèche des rares cheveux qui parsèment son crâne dégarni, il cligne des yeux de malaise, et les mots qu'il articule d'une

— *Faut croire que ça... que ça garantit rien...*

voix chevrotante te font hausser les sourcils, entrouvrir la bouche, comme si tu avais une révélation, et je crois que c'est à ce moment que tu as compris, même si au fond il n'y a rien à comprendre, rien de rien, et tu ne bouges pas, ne parles pas, et Jean-Marc doit tendre à nouveau les papiers pour que tu réagisses, pour que tu te penches vers eux, pour que tu les signes sans même les lire, puis il te donne l'adresse du salon funéraire, ce n'est pas loin de chez toi, enfin tu sors, tu quittes, tu roules, ton cellulaire sonne plusieurs fois mais tu ne réponds pas, tu es de retour chez toi à quinze heures, sors de ta voiture, puis tu remarques la camionnette rouge devant la maison de Michel, camionnette qui n'appartient pas à ton voisin, ni à sa femme Lucie qui ne travaille pas et reste à la maison, tu marches vers l'entrée de ta maison, une feuille de papier collée contre la porte, un message de Rick, un voisin qui explique qu'il est venu prendre des nouvelles, qu'il est au courant, qui dit que tu peux l'appeler n'importe quand, tu chiffonnes le papier, entres chez toi, tu t'assois dans le salon, tu étudies les restes de ton déjeuner, longues minutes, un mouvement dans la rue que tu perçois vaguement par la fenêtre, tu vas regarder, un type qui semble sortir de chez Michel, un gars dans la trentaine, qui marche vers la camionnette rouge, qui regarde partout avec méfiance, qui monte dans la camionnette et qui démarre, tu tournes les yeux vers la maison de ton voisin, maison tranquille, maison normale, tu marches vers la salle de bain, t'arrêtes, reviens au salon et urines dans un coin, tu te rassois et tu ne fais rien, ça vacille dans ton regard, ça bouge dans ta tête, un mouvement vaseux de sables mouvants, puis des gens passent dans la rue, les enfants qui reviennent de l'école, tu ne te lèves pas pour aller regarder par la fenêtre, tu t'étends dans le divan, tu te recroquevilles, tu fermes les yeux, tu les recouvres de tes poings et tu pleures, tu pleures dans un silence qui enterre tous les sons vivants, soixante-quinze minutes, tu te lèves, enfiles manteau et bottes, marches jusqu'au restaurant le plus près, à environ trente minutes à pied, mais lorsque tu y arrives, tu n'oses plus entrer et je crois savoir pourquoi, tu venais ici avec Judith et les enfants, une fois par quinzaine, tu poursuis donc ton chemin, t'arrêtes au restaurant suivant, un italien très chic où tu n'es venu qu'une ou deux fois, tu te retrouves dans une belle salle à manger, une quinzaine de clients, dont ce couple que tu connais vaguement, d'ailleurs tous deux t'envoient la main en souriant, manifestement pas encore au courant, tu les considères sans réagir, sans répondre à leur salutation, ils froncent les sourcils devant ton impassibilité, marmonnent entre eux puis ne s'occupent plus de toi, tu manges avec une lenteur extrême, puis ne fais plus rien, même quand tu as terminé, même quand on t'apporte l'addition, inertie totale, la serveuse revient te demander si tout va bien, tu dis que oui et demeures immobile, vingt minutes, tu remarques vaguement les coups d'œil intrigués de l'autre couple, la serveuse revient, polie, te fait comprendre que tu dois partir, d'autres clients attendent, tu vois bien qu'il y a plein d'autres tables libres mais tu n'insistes pas, tu te lèves, tu paies et tu sors, il fait nuit, il fait froid, tu n'attaches pas ton manteau, tu prends le chemin le plus long possible pour revenir chez toi, effectues des détours insensés, quatre-vingt-dix minutes au lieu de quarante, tu entres chez toi frigorifié, verrouilles la porte, erres dans la maison, observes un moment tes vingt-six DVD sportifs que tu as achetés au cours des trois dernières années, puis tu renonces à en choisir un, te contentes d'ouvrir ta grosse télé 50 pouces que tu t'es achetée il y deux mois, te couches sur le divan, télécommande en main, tu écoutes les nouvelles, crise économique, retour sur le tremblement de terre à Haïti, viol et meurtre d'une jeune femme dont le principal suspect serait un évadé de Donnacona en cavale depuis quelques années, mais lorsqu'on commence à parler de ton histoire, tu changes de chaîne, puis tu passes d'un canal à l'autre, ne t'attardes pas plus que trente secondes sur chaque émission, puis vers minuit tu tombes sur une chaîne où il n'y a plus rien, où tout est terminé, où tout est noir, tu lâches la télécommande, croises tes mains entre ta joue et le bras du divan et fixes cet écran noir, tu tombes dedans, tu fermes les yeux, et tu rêves à ce noir, à ce néant, et ce rien s'avère le pire des cauchemars, et quand tu te réveilles vers dix heures du matin, ton visage est humide de larmes, tu te redresses, tu as froid, mais tu ne vas pas monter le chauffage, tu allumes un feu dans l'âtre du foyer, petit bois, papier journal, bûches, le feu prend bien, mais tu décides de ne pas refermer la grille de sécurité, tu recules au milieu du salon, tu observes les flammes, puis une étincelle jaillit de l'âtre, atterrit sur les vieux journaux qui jonchent le plancher, le papier commence à prendre feu, mais toi tu ne réagis pas, toi tu n'interviens pas, toi tu observes, la petite flamme se contente de noircir un peu le papier avant de s'éteindre, alors tu soupires et sors du salon, tu prends enfin tous tes messages, ceux de la maison et ceux de ton cellulaire, amis, employés du magasin, ton frère en pleurs qui demande où tu es, si tu as prévenu papa et maman en Floride, qui t'implore de le rappeler, tous veulent que tu les rappelles, tous clament que c'est horrible, tous offrent leur aide, mais toi tu donnes un seul coup de téléphone, à ton magasin, tu parles à ton gérant, le préviens que tu ne rentreras pas au magasin avant un bout de temps, il te demande des consignes, mais tu lui réponds qu'il fait ce qu'il veut, il dit qu'il aimerait avoir des précisions et même si tu le sens bouleversé, tu répètes qu'il peut faire ce qu'il veut, que ça n'a aucune, aucune importance, aucune, et tu raccroches, on sonne à la porte d'entrée, tu devines deux silhouettes derrière la vitre, tu paniques, t'empresses de descendre au sous-sol, on sonne encore, tu entends même le bruit du bouton que l'on tourne plusieurs fois en vain, et enfin le silence, tu regardes autour de toi, les décorations d'enfants, les étagères de jouets, les posters de héros de dessins animés, les poupées, les camions et les figurines, et dans un coin ton vélo elliptique, sur lequel tu n'es pas monté depuis trois jours, toi qui normalement t'entraînes tous les matins avant de partir au boulot, tu montes sur l'elliptique et tu commences à pédaler, en tenant fermement les deux poignées qui font avancer et reculer tes bras, et tu pédales, et tu rames, tu montes le degré de résistance au maximum, et tu pédales, et tu rames, et tu vas le plus rapidement possible, tu grimaces, tu sues abondamment, tu serres les dents, tes membres commencent à trembler sous l'effort mais tu ne ralentis pas, tu pousses, tu pousses, dix minutes, puis quinze, puis vingt, trente, quarante-cinq minutes à pousser au maximum, sans répit, ton corps gluant de sueur sous tes vêtements détrempés, ton visage écarlate, ta respiration sifflante, tu ralentis malgré toi, tu grognes, tu cries, tu ne veux pas arrêter, mais tu portes soudain la main à ton cœur en croassant de douleur, tu t'effondres au sol, sur le dos, en convulsions, hoquetant, sans cesser de tordre tes doigts sur ta poitrine brûlante, mais la douleur s'éloigne, ton cœur recommence à battre normalement, la crise cardiaque n'a finalement pas voulu de toi, ta respiration se fait régulière et tu fermes les yeux, tu demeures couché, trente minutes, silence, silence, tu te lèves, les jambes molles, montes, salle de bain, longue douche chaude, puis tu enfiles les premiers vêtements qui te tombent sous la main, tu redescends, il est quatorze heures, tu sors dehors, sans manteau, pantoufles aux pieds, il fait froid mais soleil, tu vas jusqu'au trottoir et observes les maisons dans la rue, ordonnées, jolies, soignées, paisibles, et la camionnette rouge est encore là devant la maison de Michel, tu plisses les yeux puis tu rentres chez toi, cherches un numéro de téléphone, composes, donnes le nom de ton voisin à la réceptionniste de la compagnie d'assurances, puis Michel te répond, surpris et quelque peu gêné de ton appel, tu lui dis alors qu'il fait tout cela pour rien, mais il ne comprend pas, tu continues, la voix

— *Ta maison, tes enfants, ta famille, ta job... Ça donne rien, Michel.*

lénifiante, il répète qu'il ne saisit pas, te demande maladroitement s'il peut t'aider, tu lui conseilles de revenir chez lui tout de suite, immédiatement, et qu'ainsi il va tout comprendre, tu raccroches, examines le bordel de la cuisine, sors dehors, toujours sans manteau, vas sur le trottoir, les mains dans les poches, et tu attends, dix minutes, quinze, puis la voiture de Michel passe devant toi, Michel qui sort du véhicule, Michel qui te dévisage avec un mélange d'inquiétude et de suspicion, Michel qui te demande ce qui se passe, et toi tu tournes la tête vers la camionnette rouge, ton voisin la voit à son tour, une lueur de doute dans le regard, son pas rapide vers la maison, quatre-vingt-dix secondes, des cris et des exclamations jaillissent du joli bungalow, alors tu rentres chez toi, t'arrêtes au salon, observes le feu dans l'âtre, plusieurs étincelles ont marqué le bois du plancher, sans plus, tu t'assois dans le divan, tu vois passer par la fenêtre la camionnette rouge à toute vitesse, sonnerie du téléphone, cette fois tu vas répondre, c'est ton frère Alain, que tu ne vois presque plus depuis qu'il habite à Drummondville, Alain qui crie, qui t'engueule, qui te demande pourquoi tu ne l'as pas rappelé, et tu lui dis simplement que tu n'en avais pas

envie, alors il fond en larmes, il s'excuse, il demande
si tu as prévenu papa et maman en Floride, tu réponds
que non, puis il annonce qu'il vient te rejoindre immédiatement, tu lui dis pas question, tu le verras au salon
demain, tu lui donnes l'adresse et l'heure, il finit par
céder mais tranche que demain il restera avec toi
jusqu'au service du vendredi et même pour tout le
week-end, lui, Marie-Hélène et les enfants, ils seront
là pour toi, ne t'abandonneront pas, tu dis d'accord
mais à condition qu'ils soient tous là demain, il
s'étonne, dit qu'évidemment ils seront là, sans faute,
mais tu insistes, sans ironie, ni

— *Ça, c'est si votre maison brûle pas à soir. Ou si
un voleur vous cambriole pas cette nuit. Ou si tes enfants
reviennent de l'école tout à l'heure. Peut-être qu'ils vont
se faire attaquer sur le chemin du retour. Peut-être qu'un
maniaque va les capturer, les torturer pendant des heures
pis les tuer.*

malice, et le silence
s'allonge, parasité par la respiration d'Alain, mais il
parle enfin, voix déconcertée, un rien rancunière, il
comprend que le désespoir te fasse dire des choses « qui
n'ont pas d'allure », mais ces derniers mots te font soudain crier, cracher, postillonner sur

— *Pourquoi ç'a pas d'allure ? Dis-moi pourquoi ! Il
s'en fout, de ce qui a de l'allure ou pas ! Il s'en fout complètement !*

le combiné, et Alain,
éperdu, te demande de qui tu parles, mais tu ne
réponds pas, peut-être ne le sais-tu pas toi-même, du
moins pas clairement, et tu lances le téléphone contre

le mur, et tu retournes au salon, et tu fixes le foyer avec défi, mais le feu est presque éteint, alors tu remets des bûches en maugréant avec des mots incompréhensibles, tu remues les braises, et le feu reprend de plus belle, immense, triomphant, à nouveau tu ne fermes pas la grille de sécurité, manteau, bottes, puis tu sors, laisses la porte de la maison grande ouverte, et tandis que tu fais reculer ta voiture dans la rue, tu vois Michel sortir de chez lui, il est furieux, il marche vers sa voiture, et Lucie sur ses talons, Lucie en robe de chambre, Lucie en panique, Lucie en larmes, qui implore et supplie, mais tu te désintéresses d'eux, tu files, tu croises la voiture de ton ami Alexandre qui, sans doute, roule vers ta maison, et Alexandre doit aussi reconnaître ton automobile car tu le vois dans ton rétroviseur faire demi-tour, sûrement dans l'intention de te rattraper, mais tu prends une bonne avance, tu le sèmes, et tu roules enfin vers l'hôtel le plus proche, tu loues une chambre, tu regardes la télé, tu ne réponds pas à ton cellulaire qui sonne six ou sept fois, et tu t'endors, très tard, sommeil tourmenté et houleux, peuplé de cris et de fureur, et tu te réveilles à dix heures, manges au restaurant de l'hôtel et retournes chez toi, la porte d'entrée est toujours grande ouverte, tu entres et tu t'étonnes de voir que tout est en ordre, que rien n'a été volé ni vandalisé, et le feu dans l'âtre est éteint, et rien n'a brûlé dans la maison, alors tu retournes dehors et tes cris roulent dans la

— *C'était le temps, là, pourtant! Pourquoi pas? Hein? Pourquoi pas maintenant?*

rue déserte, à l'exception de cette femme plus loin qui te dévisage, tu lui lances un doigt d'honneur, tu rentres en fermant la porte derrière toi, et tu pleures, tu marches partout et tu pleures, pendant deux heures, et tu finis par monter dans ta chambre, pantalon noir, veston noir, chemise blanche et cravate noire, tu t'observes un moment dans le miroir, indifférent, puis tu sors, refermes cette fois la porte derrière toi et la verrouilles, et juste avant de démarrer tu observes longuement ta maison, très longuement, comme si ton regard avait déjà compris quelque chose que ta propre conscience n'avait pas encore saisi, puis tu roules, dix minutes, le salon funéraire, déjà quatre ou cinq visiteurs qui semblent embarrassés de te voir arriver avec une demi-heure de retard, les trois cercueils, fermés, tu vas de l'un à l'autre, en serrant les mâchoires, en serrant les poings, en serrant les lèvres, puis les poignées de main, les condoléances, les sanglots, les malédictions contre le destin, la mère de Judith qu'on doit soutenir tant elle est au désespoir, et toi tu ne dis presque rien, puis Jean-Marc et sa famille, Jean-Marc qui te glisse à l'oreille que tout est sous contrôle mais que tu devras rencontrer le propriétaire des pompes funèbres d'ici la fin de l'après-midi pour signer des papiers et régler les comptes, puis ton frère Alain et sa famille, sa femme qui n'arrête pas de pleurer, ses larmes contre ton cou, Alain qui dit qu'il a prévenu papa et maman, qui s'étonne qu'ils ne t'aient pas appelé, mais tu expliques que tu n'as pas pris tes messages depuis hier, et Alain secoue la tête, Alain dit que papa et maman vont prendre le premier avion,

Alain t'assure qu'ils seront sans doute revenus demain ou même ce soir, puis d'autres personnes encore qui apparaissent graduellement, dont Alexandre, démoli, qui jure qu'il s'est rendu plusieurs fois chez toi, et tu persistes dans ton silence, dans ton repli, ta cousine Juliette s'approche, maigre, son visage tout ridé malgré ses quarante-huit ans, sa chaise roulante poussée par son mari Normand, son regard plein de compassion, et ce qu'elle te dit

— *Je sais que c'est difficile à accepter, mais rien n'arrive pour rien...*

                       déclenche un furtif mais vif éclair dans tes pupilles, tu ouvres la bouche pour dire quelque chose mais une amie de Judith s'approche de toi et t'enlace, puis d'autres gens, encore et encore, tu finis par demander à Jean-Marc comment ça se fait que tant de monde soit au courant alors que tu n'as prévenu personne, mais Jean-Marc a pensé à tout, Jean-Marc a mis une annonce dans deux quotidiens, Jean-Marc a mis en branle deux ou trois chaînes téléphoniques, tu hoches la tête, regardes autour de toi, tous ces gens, tous ces visages, il y en a même qui sont flous, que tu ne reconnais pas, puis tu revois la cousine Juliette, là-bas, et tu te mets en marche vers elle, ton regard dur, mais elle s'adresse à toi avant que tu ne puisses parler, explique qu'elle veut aller fumer dehors mais Normand est aux toilettes, tu serais bien gentil de l'amener dehors si tu n'y vois pas d'inconvénient, tu l'aides à enfiler son manteau, tu enfiles le tien, tu pousses la chaise roulante, les gens s'écartent respectueusement, dehors il fait un doux froid, le soleil est éclatant, tu te diriges vers la rampe pour handicapés et commences à la descendre très lentement, déployant un certain effort pour retenir la chaise entraînée par la pente, puis tu baisses un peu la tête pour que ta cousine t'entende, tu lui dis que, si tu as bien compris, l'accident qui l'a rendue infirme à vingt-sept ans n'est pas arrivé pour rien, et elle le confirme, jure qu'elle en est sortie plus forte qu'avant, tu hoches la tête, la chaise est lourde à retenir dans la pente, et soudain tu ne la retiens plus, la chaise descend maintenant la rampe toute seule, elle prend de la vitesse, la cousine demande ce qui se passe, et toi tu n'interviens pas, la chaise roule vers la rue avec Juliette qui pousse des petits cris, Juliette qui essaie en vain d'arrêter les roues avec ses mains trop faibles, Juliette qui s'immobilise enfin en plein milieu de la chaussée au moment même où une voiture freine brusquement, et une seconde automobile emboutit la première, et toi tu t'approches enfin de Juliette, tu te penches derrière elle, et ta voix

— *Et maintenant, tu te sens forte ?*

est basse, si basse, et tu remarques alors que Juliette hoquette, Juliette a les yeux écarquillés, Juliette est presque en syncope, et tu regardes enfin autour de toi, la conductrice de la première voiture pétrifiée de stupeur derrière son volant, le conducteur de la seconde qui sort de son véhicule en tenant son nez ensanglanté, tes amis et ta famille qui sortent du salon, dont Normand qui se précipite vers sa femme, en panique, hurlant qu'il faut appeler une ambulance, que Juliette est en train de piquer une

crise cardiaque, et tout le monde qui s'active, qui pose
des questions, qui tourne en rond, et toi tu observes
ce chaos avec fascination, immobile, rocher immuable
au centre de cette mer déchaînée, mais on t'attrape
soudain le bras, ton frère Alain, il roule des yeux, il te
demande ce qui s'est passé, mais tu te dégages doucement, effectues quelques pas de recul comme pour
mieux saisir cette débâcle, comme pour la tatouer au
fer rouge dans ta tête, comme pour la photographier
en pixels de feu, et finalement tu tournes les talons et
t'éloignes, malgré ton frère qui t'interpelle, et tu
montes dans ta voiture, et tu démarres, tu appelles
Sylvain sur ton cellulaire mais ça ne répond pas, tu
ne laisses pas de message, ta jauge à essence presque
vide, arrêt à une station-service, le plein d'essence, tu
vas payer et juste avant de sortir tu remarques le guichet automatique dans le coin de la station-service,
tu y vas et tu retires le maximum d'argent que la
machine te permet, mille dollars, et tu repars, tu roules
vers la Ville, tu traverses le pont nord, quinze minutes,
tu te stationnes, tu entres au bar *Le Maquis*, la barmaid te salue gentiment, elle te reconnaît même si tu
ne viens ici qu'une fois par cinq ou six semaines, tu lui
demandes si elle a vu Sylvain, oui, hier soir, et il parais-
sait bien déprimé, elle te fait remarquer que tu n'as
pas l'air en forme non plus, tu commandes une bière
et vas t'asseoir à une table libre, le cinq à sept qui commence, beaucoup de clients, hommes et femmes dans
la trentaine, qui discutent, qui rigolent, qui argumen-
tent, qui boivent, la bonne humeur, ton cellulaire
sonne souvent, à chaque fois tu vérifies qui appelle, à

chaque fois tu constates que ce n'est pas Sylvain, à chaque fois tu ne réponds donc pas, mais au bout d'une heure tu n'en peux plus des sonneries alors tu éteins ton appareil, une autre bière, fin du cinq à sept, moins de clients, l'horloge indique vingt heures, tu vas pisser, tu reviens, une autre bière, ta quatrième, tes yeux sur la porte d'entrée, puis tu examines les gens pour la première fois depuis ton arrivée, une fille seule là-bas, une trentaine d'années, jolie, cheveux châtains longs, elle te regarde avec une certaine insistance et finit même par te sourire, alors tu détournes aussitôt les yeux, comme tu le fais chaque fois qu'une fille flirte avec toi, et je sais que tu as développé ce réflexe pour éloigner la tentation, les ennuis et le désordre, oui, pour éviter tout ça, et tout à coup Sylvain entre, habillé d'une chemise noire et d'une veston sombre, il te voit, il est rassuré, il vient s'asseoir devant toi, il revient du salon, tout le monde te cherche, ton frère et ton beau-frère ont essayé de te rejoindre sur ton cellulaire, Sylvain lui-même a tenté de t'appeler trois fois, alors pourquoi ne réponds-tu pas, pourquoi as-tu quitté le salon, pourquoi es-tu ici, et Sylvain commence à s'énerver devant ton silence, tu articules enfin que tu veux te soûler la gueule, alors Sylvain se calme, Sylvain commande deux bières, Sylvain te dit qu'il comprend ta confusion, ça et plein d'autres choses sur l'absurdité de la vie et la souffrance et l'injustice, mais tu n'écoutes pas vraiment, tu reluques la serveuse qui apporte vos verres, son sourire coquin à l'intention de ton ami, ses fesses bien moulées dans sa jupe courte, et tu interromps Sylvain pour lui

demander s'il a déjà baisé la serveuse, question qui le
désoriente totalement, mais il répond tout de même
par l'affirmative, et toi, sans l'ombre d'un sourire, tu
lui demandes si elle est cochonne, et lui, de plus en
plus déconcerté, répond que oui, pas mal, tu hoches
la tête, tes yeux sont maintenant dans le vague, et tu
te mets à parler, lentement, la voix aérienne, tu
expliques que Judith n'était pas cochonne, en tout cas
plus depuis quelques années, vous faisiez bien l'amour
encore une fois par semaine, parfois deux, mais c'était
plus sage, surtout depuis l'arrivée des enfants, et elle
était souvent fatiguée, ou pressée, ou les deux, donc les
baises ne duraient jamais bien longtemps, et puis il
fallait toujours se le demander avant, sans sponta-
néité, sans improvisation, mais à entendre parler tes
autres amis en couples, tu te disais qu'au bout du
compte, vous étiez dans la norme, oui, la norme, et tu
répètes ce mot plusieurs fois, la norme, et Sylvain ne
t'interrompt pas, te dévisage en silence, l'air effaré,
puis tu soupires, promènes ton regard autour de toi
et tu déclares que tu baiserais bien une cochonne ce
soir, et tu articules ces mots avec une étrange lassitude, et Sylvain indique que ce n'est vraiment pas le
temps d'avoir de telles pensées, alors tu te fâches un
peu, tu

— *Pourquoi c'est pas le temps ? Ça fait neuf ans que
c'est pas le temps ! Ça fait neuf ans que je me retiens,
que je fais ça comme il faut, pis ç'a donné quoi, hein ?
Ç'a donné quoi ?*

attires quelques regards, Sylvain t'implore de
te calmer, ce que tu finis par faire, mais tu termines ta

bière d'un trait, et ton ami tente de te raisonner,
prétend que tu dois retourner au salon, que tout le
monde t'attend, on lui a raconté plus tôt qu'une de
tes cousines a failli piquer une crise cardiaque tout à
l'heure mais qu'elle est maintenant hors de danger, tu
lui dis que tu le sais, que c'est toi qui as provoqué ça,
Sylvain ne comprend pas, tu expliques tout, alors il te
dévisage, outré, comment as-tu pu pousser sa chaise
dans la rue, tu précises que tu ne l'as pas poussée, mais
quand tu l'as entendue dire ses conneries, tu n'avais
tout simplement plus envie de retenir sa chaise, tu as
voulu qu'elle s'éloigne de toi, en fait tu ne sais pas trop
ce que tu as voulu, lâcher, juste lâcher, mais tu n'avais
pas prévu qu'elle roulerait jusque dans la rue, ni qu'une
voiture passe à deux doigts de la frapper, ni qu'une
seconde voiture emboutisse la première, ni que la cousine frôle la crise cardiaque, non, tu ne pouvais pas
prévoir que le simple relâchement de tes doigts pro-
voquerait une telle réaction en chaîne, comme Judith
et tes enfants ne pouvaient pas prévoir qu'ils allaient
mourir en retournant à la maison, personne ne peut
prévoir, personne ne peut savoir quoi que ce soit, peu
importe comment on s'organise, comment on se pré-
pare, comment on contrôle, ou plutôt comment on
croit contrôler, et tu t'animes à nouveau, tu demandes
à ton ami s'il se souvient quand vous étiez adolescents,
à quel point vous étiez irresponsables et désorganisés,
à quel point vous vous foutiez de tout, comme lorsque
vous reveniez de certains partys complètement soûls
et que vous conduisiez tout de même les voitures de
vos parents, ou quand vous patiniez sur ce lac qui

commençait à dégeler au début d'avril, et puis vous avez vieilli, vous vous êtes rangés, comme tout le monde, enfin, toi tu t'es rangé, toi, et tu le dis en donnant des petits coups sur la table, comme si tu voulais écraser ce mot, le pulvériser, et tu montes le

— *Parce que moi, le cave, j'ai cru à tout ça : se responsabiliser, préparer son avenir, organiser sa vie... Mais toi t'as compris ! T'as compris que ça donne rien, t'as pas changé pis t'as eu raison !*

ton, mais Sylvain rétorque que ce n'est pas si simple, alors tu frappes encore plus fort sur la table, tu lui cries d'arrêter de te mentir, tout le monde te ment depuis des années mais lui n'a pas le droit, pas ton meilleur ami, et tu te lèves, tu veux sortir, tu veux faire la tournée des bars, tu veux t'éclater la tête avec Sylvain comme dans le temps, hein, Sylvain, allez viens, on y va, mais Sylvain est sombre, Sylvain ne veut pas, Sylvain tente de te calmer, toi tu ne comprends pas, tu lui rappelles qu'il est normalement le premier à vouloir fêter, alors il s'impatiente, se lève, affirme que tu es bouleversé, t'exhorte de retourner au salon funéraire où tout le monde t'attend, mais tu hurles que tu ne veux pas y retourner, tu hurles que tu veux rester ici, tu hurles vraiment fort, alors Sylvain t'attrape par les épaules, dit d'accord, OK, n'y retourne pas, mais il te conjure de venir chez lui, tout de suite, vous continuerez à discuter et à boire toute la nuit dans son appartement, sauf que ce n'est pas ce que tu veux, toi, tu veux sortir, exploser comme un volcan endormi depuis trop longtemps, et tu en es à répéter cette litanie excessive

lorsque Dan, le propriétaire de la place, s'approche
pour te demander de quitter les lieux, parce que maintenant tout le monde t'observe avec malaise et agacement, mais Sylvain connaît bien Dan, le prend par le
bras, l'amène à l'écart pour discuter, alors tu te rassois, attends, fixes avec arrogance les autres consom-
mateurs, et tu remarques à nouveau cette jolie fille
seule, qui t'observe toujours, mais cette fois tu ne
détournes pas la tête, cette fois tu lèves ton verre vers
elle, cette fois tu lui fais signe d'approcher, et elle,
après une brève hésitation, se lève, s'approche, s'as-
soit sur la chaise que tu lui indiques du menton, et
tu précises qu'il y a trois jours à peine, tu n'aurais
jamais osé inviter une belle fille à boire avec toi, que
tu aurais eu bien trop peur que ça t'apporte des pro-
blèmes, et tu émets un ricanement sans joie tandis
que la fille hoche la tête, puis tu lui demandes son
nom, Mélanie, tu demandes donc à Mélanie si elle
veut sortir avec toi ce soir, elle a une autre brève indé-
cision puis accepte, d'une voix tranquille, c'est à ce
moment que Sylvain revient pour te dire qu'il s'est
arrangé avec Dan, mais tu te lèves, annonces que tu
vas sortir avec Mélanie, invites ton ami à se joindre à
vous, mais Sylvain refuse, Sylvain est découragé,
Sylvain te demande d'être raisonnable, et toi tu te
fâches à nouveau, tu cries après lui, comment peut-il
te demander ça, lui, ton ami, mais tu vois Dan qui
revient, l'air furieux, alors tu enfiles ton manteau rapidement, attrapes la main de Mélanie qui vient tout
juste d'enfiler le sien, marches vers la sortie, et Mélanie
hésite un peu mais finit tout de même par te suivre,

elle dit que sa voiture est un peu plus loin, mais tu insistes pour prendre la tienne stationnée juste là, tu ouvres la portière et aperçois Sylvain sortir du bar, à ta recherche, mais tu lui ordonnes de ne pas te suivre, tu ne veux plus le voir, il s'immobilise mais te supplie de ne pas faire de conneries, de l'appeler plus tard, de venir coucher chez lui, mais toi tu montes, Mélanie aussi, claquements de portières, départ de la voiture, Mélanie s'inquiète, n'as-tu pas trop bu pour conduire, mais non, tu n'as bu que quatre ou cinq bières, elle te demande où tu veux aller, tu n'en as aucune idée, tu connais peu de bars à Montréal à l'exception du *Maquis*, en fait ceux que tu fréquentais il y a une dizaine d'années ont sans doute une clientèle beaucoup plus jeune que toi maintenant, elle te propose donc un petit bar qu'elle connaît, juste à côté de chez elle, tu n'auras donc pas à prendre ta voiture si tu bois trop, elle profère cela sur un ton très naturel, tu lui jettes un coup d'œil entendu mais elle regarde devant elle en t'indiquant le chemin à suivre, tu roules maintenant dans un quartier plutôt pauvre que tu connais peu, tu te stationnes enfin, vous sortez, tu suis Mélanie jusqu'à un bar, *Le Losange*, intérieur un peu minable, machines à poker au fond, musique quelconque, une dizaine de clients plutôt mal foutus, tu remarques pour la première fois que Mélanie elle-même porte des vêtements assez ringards mais que ça ne l'empêche pas d'être très séduisante, vous vous assoyez à une table, la barmaid s'approche, habillée plus sexy que son corps le permet, elle salue Mélanie comme une vieille connaissance, Mélanie te la présente, elle s'appelle Guylaine, et Guylaine te jauge du regard, sans gêne, amusée par ton veston et ta cravate, tu commandes deux *shooters*, Mélanie refuse d'abord mais tu insistes alors elle accepte, elle l'avale d'un coup, sans grimacer, puis tu commandes deux bières, Mélanie ne parle toujours pas, te regarde beaucoup, tu lui demandes pourquoi elle a accepté de te suivre ce soir, et sa réponse

— *Parce que tu souffres.*

t'ébranle un peu, tu lui demandes si ça se voit tant que ça, elle ne répond pas mais son silence est éloquent, tu termines ta bière d'une traite et tu émets un ricanement condescendant, elle ne réagit pas, tu la regardes profondément dans les yeux, ses yeux doux mais tristes, et tu déclares qu'elle n'a pas l'air très en forme elle non plus, elle a un léger sourire, sa voix est à peine un

— *Tu vois, c'est pas si dur à remarquer...*

souffle et pourtant, tu entends ce qu'elle dit malgré la musique ambiante, mais tu secoues la tête, comme si tu n'aimais pas la direction que prend votre conversation, et tu commandes deux autres *shooters*, Guylaine apporte les deux verres mais Mélanie ne veut plus boire, tu t'entêtes mais en vain, tu bois donc les deux verres, alors tu parles, oui, tu souffres, tu l'admets, mais tu n'as pas envie d'élaborer là-dessus, tout comme tu n'as pas envie de savoir pourquoi Mélanie ne va pas trop bien non plus, tout comme tu te fous des souffrances de tout le monde, parce que ce soir c'est le temps de s'éclater, parce que, criss ! on va tous crever alors aussi

bien en profiter, et ta compagne écoute en silence, le
visage triste, et tu finis par en avoir assez de son air
déprimé, alors tu proposes d'aller chez elle, ce qu'elle
accepte aussitôt, Guylaine vous salue d'un air gogue-
nard tandis que vous sortez, un vent frisquet souffle
dans la nuit, tu veux prendre ta voiture mais Mélanie
dit que tu as trop bu, d'ailleurs elle habite au prochain
coin de rue, vous vous mettez donc en marche, tu dis
que cette petite promenade dans le froid de l'hiver ne
te fera qu'apprécier davantage la chaleur de son corps,
et tu ricanes, surpris de ta propre audace, pourtant
je me souviens que lorsque tu étais célibataire, tu ne
manquais pas de cran avec les filles, mais Mélanie
devient grave et te dit que vous ne baiserez pas, ce qui
te désarçonne complètement, tu joues donc les provo-
cateurs, expliques que les filles qui ramènent des gars
chez elles veulent rarement jouer au Parchesi, en tout
cas pas dans ton temps, mais elle secoue

— *Non, pas cette nuit. C'est pas de ça que t'as besoin.
Pis moi non plus.*

                                    la tête, tu
fais la moue, tu marmonnes ah non, c'est pas vrai, tu
lui dis d'arrêter ses conneries, mais elle ne démord
pas, alors tu tournes les talons, marches vers ta voiture, elle te lance que tu ne devrais pas conduire mais
tu ne réponds rien, elle te crie d'attendre une seconde,
tu te retournes en croyant qu'elle a changé d'avis mais
en la voyant fouiller dans sa sacoche et griffonner
quelque chose sur un bout de papier, tu te remets en
marche, montes dans ta voiture, veux refermer la portière mais Mélanie est là et tend vers toi un bout de

papier, c'est son adresse, elle est chez elle surtout le
soir, tu peux venir la voir quand tu veux, tu prends le
papier avec dédain, l'enfonces distraitement dans ta
poche de manteau, et tu démarres sans un mot, bref
coup d'œil dans le rétroviseur, elle est toujours dans
la rue, isolée, tournée vers ta voiture qui s'éloigne, tu
as une moue morose, frustrée, l'horloge du tableau
de bord indique vingt-trois heures quinze, tu roules
au hasard, droit devant toi, feu de signalisation à environ cent mètres, il tourne au rouge, mais tu ne ralentis pas, mais tu roules, mais tu traverses l'intersection,
et tu t'étonnes à peine lorsque l'autre voiture te percute du côté passager, ça secoue un peu mais pas trop,
tu sors sans te presser, l'autre conducteur s'approche
de toi, dans la cinquantaine, furieux, il te demande
pourquoi tu n'as pas ralenti, pourquoi tu n'as pas
arrêté au feu rouge, les questions cascadent, avec force
moulinet des bras, tu l'écoutes calmement, avec un
rictus ambigu aux lèvres, comme si tu attendais ton
moment, et quand il reprend enfin son souffle, tu te
lances, la voix molle à cause

— *Tu t'attendais pas à ça, hein ? Tu croyais que dans
dix minutes, tu serais chez vous, au chaud dans ton lit,
comme tous les soirs ! Aucune raison que ce soit différent, pas vrai ? Mais j'étais là, qu'est-ce que tu veux ! Je
suis apparu sans prévenir ! C'est comme ça, mon
homme ! C'est comme ça !*

                        de l'alcool, alors il te dévi-
sage, déconcerté, il semble enfin comprendre que tu
as bu, tu attrapes ton cellulaire, il te demande ce que tu
fais, tu réponds que tu appelles la police, tu lui dis de

ne pas s'inquiéter, tu vas dire que c'est de ta faute, pas de problème, mais ça ne le rassure pas du tout, il commence même à s'alarmer sérieusement, il bredouille qu'il y a sûrement moyen de s'arranger sans la police, allons, pourquoi rendre tout cela compliqué, et il te donne sa carte d'affaires, et il t'invite à l'appeler demain, toi tu ouvres de grands yeux étonnés, puis tu comprends, tu prends un air complice, il ne veut pas que sa femme sache qu'il était en Ville ce soir, c'est ça, ou il y a de la drogue dans sa voiture, ou autre chose du même genre, n'est-ce pas, et ces allusions l'angoissent encore plus, il lance des regards de bête traquée aux deux ou trois curieux qui observent la scène à l'écart, puis il s'approche de toi, répète qu'il ne faut pas que les flics viennent, promet qu'il va te dédommager dès demain, alors tu étudies sa peur, oui, sa peur, puis tu ranges sa carte dans ta poche, lui dis qu'il peut s'en aller, et il soupire, le gars, il te remercie, il te serre la main, mais tu lèves un doigt, ajoutes que tu ne préviendras pas la police ce soir, certes, mais demain, peut-être que oui, on ne sait jamais, ou après-demain, ou un autre jour, qui sait, ou jamais, en fait tu n'en as aucune idée, tu verras bien, ça dépendra de ton humeur, en tout cas, tu as sa carte, au cas, et le gars blêmit en t'écoutant, tu lui mets une main sur l'épaule, ta voix est mielleuse mais

— *À partir de tout de suite, c'est moi qui ai le pouvoir de crisser ta vie en l'air ou pas... Tu vas vivre en sachant que c'est pas toi qui décides... On appelle ça la lucidité. T'es chanceux.*

fataliste, et il pleure presque, il insiste, il te donnera beaucoup d'argent si tu l'appelles demain, juré, mais pas les flics, non, pas la police, toi tu remontes déjà dans ta voiture et tu démarres, sans un regard derrière, mais au bout de huit ou neuf coins de rue, le moteur hoquette, toussote, la jauge à essence pointe le vide, tu as pourtant fait le plein tout à l'heure, tu te stationnes dans un *fast-food* ouvert vingt-quatre heures, sors, te penches pour regarder sous le véhicule, remarques l'essence qui goutte au sol, sans doute une fissure causée par la collision, tu abandonnes donc ta voiture et te mets en marche, les mains dans les poches, tu sors la carte d'affaires du gars de tout à l'heure, l'examines un moment, puis tu la déchires en petits morceaux que tu laisses tomber derrière toi, le vent est faible mais glacial, tu remontes le col de ton manteau, tu arrives à un boulevard plus achalandé, piétons, voitures, un night-club d'où sortent des gens par dizaines, sans doute la fin d'un spectacle, tu t'arrêtes, tu les observes rire et parler entre eux, tu soupires, puis tu sors ton cellulaire, tu l'ouvres et signales les premiers chiffres du numéro de Sylvain mais tu t'arrêtes, vexé, et ranges finalement le cellulaire dans ton manteau mais il sonne aussitôt, tu vérifies qui appelle, ton frère, tu te frottes le front, reviens aux dizaines de personnes qui forment une masse compacte de l'autre côté de la rue en face du club, ton visage sinistre, et tout à coup tu lances le téléphone dans leur direction mais en hauteur, le plus haut que tu le peux, tu suis des yeux l'appareil qui monte, se perd une ou deux secondes dans la nuit, puis redescend à toute vitesse, vers la foule, mais il n'atteint personne, il s'écrase dans la neige à quelques centimètres des pieds d'une jeune femme qui ne s'en rend même pas compte, ta bouche a un pli ironique et amer, tu traverses la rue, tu t'approches de cette femme et

— *Vous l'avez échappé belle pis vous le savez même pas...*

elle, manifestement éméchée, ne comprend pas de quoi tu parles et pouffe de rire, alors tu poursuis ta route, tu es maintenant dans un quartier plus huppé, il y a de l'animation, ça bouge, ça vit, tu dévisages tous les gens que tu croises qui, eux, ne s'occupent pas de toi, tu finis par entrer dans un bar, au hasard, sans choisir, l'endroit est plus branché et plus chic que *Le Losange*, il y a même un portier avec une gueule très sérieuse, pas trop de monde, surtout des gens en couples ou en petits groupes, deux filles seules au bar, jolies et sexy, tu t'approches, tu leur offres un verre, refus, airs ennuyés, détournement de têtes, tu n'insistes pas, tu avales un shooter, puis un autre, tu vas aux toilettes uriner un bon coup, retour au bar avec démarche légèrement instable, tu es soûl et ça se voit, tu répètes ton offre aux deux filles et l'une d'elles, maintenant excédée, te dis de les laisser tranquilles, alors tu te fâches, alors tu les engueules, alors tu vides ton sac, si elles ne veulent pas se faire draguer, pourquoi elles sortent seules dans des bars avec des vêtements sexy, elles n'ont qu'à rester chez elles, merde, et elles te dévisagent, médusées, te traitent de connard et de frustré, et toi tu répliques que c'est tout à fait juste, frustré, ça oui, et depuis des années en plus, comme tout le monde, comme elles, tu en es sûr, tout le monde est frustré de quelque chose, tu insistes là-dessus, alors

pourquoi ne pas aller se défrustrer ensemble, hein,
tout de suite, une baise à trois, tu n'as jamais fait ça, à
trente-cinq ans il serait temps, pas vrai, et vous, les
filles, l'avez-vous déjà fait, mais tu ne leur laisses pas le
temps de répondre, tu es pressé, tu leur ordonnes de
te suivre, maintenant, allez, on y va, go, tu leur tiens
même chacune un bras, elles t'engueulent, elles veulent se dégager, mais deux autres mains s'abattent sur
tes épaules, c'est le portier, direction sortie, tu pro-
testes un peu, pas beaucoup, pour la forme, et tu te
retrouves sur le trottoir, et tu t'appuies contre un mur,
et tu fermes les yeux, on pourrait croire que tu vas
vomir mais finalement ça passe, tu te mets en marche
d'un pas louvoyant, prends quelques instants pour
t'orienter, déambules longuement, finis par retrouver
ta voiture, et tu entres à l'intérieur, et tu fixes le vide
glacé devant toi, et des larmes coulent sur tes joues, et
tu t'endors avant même qu'elles ne gèlent, c'est le froid
qui te réveille, tu es frigorifié, l'horloge de la voiture
indique six heures, tu enlèves ta cravate et la lances
sur la banquette arrière, tu sors, tu as mal à la tête mais
c'est supportable, tu marches en grelottant et tu entres
dans le premier commerce ouvert que tu croises, un
café, un muffin, tu bois et manges lentement assis à
une table, fixes les trois autres clients, ils ont l'air seuls,
ils ont l'air déprimés, et toi tu ne bouges pas de cette
table, deux heures, tu fermes les yeux et t'endors, c'est
la serveuse qui te réveille, qui t'explique que tu ne peux
pas dormir ici, l'horloge sur le mur indique neuf
heures trente, tu sors, faible neige qui tombe, tu fixes
le sol, tes bottes sur le sol, les éclaboussures sous tes

semelles, la gadoue sur le trottoir, station de métro, tu
y vas, paies ton entrée, demeures longtemps devant le
plan, peut-être te rappelles-tu à quel point Alexis ado-
rait venir à Montréal pour prendre le métro, comme
toi quand tu étais gosse, je me souviens même que tu
rêvais de devenir conducteur de train de métro, oui,
peut-être songes-tu à tout cela, tu choisis enfin une
direction, le quai est à peu près désert, l'heure de pointe
est passée, le train s'arrête devant toi, tu entres, debout,
main droite au poteau central, balancement du wagon
qui roule dans le tunnel, un couple assis devant toi,
un landau d'enfant devant eux, une vieille assise plus
loin, le jeune couple marmonne des mots doux, le
jeune couple sourit, le jeune couple se bécote, le jeune
couple est seul au monde, et toi tu les toises, et tu
tournes ton regard vers le landau, et tu vois le bébé
qui dort, et tu reviens au couple, à leurs sourires, à
leurs roucoulements, à leurs baisers, puis le train s'arrête, les portes s'ouvrent, personne ne fait mine de sortir, le couple toujours perdu dans leur amour, le couple
qui ne se rend compte de rien, alors tu pousses le landau, poussée brève mais forte, et le landau franchit les
portes une seconde avant qu'elles ne se referment, le
couple doit alors réaliser qu'il manque quelque chose
dans leur périphérie car ils cessent enfin de se manger
des yeux, tournent la tête, se lèvent, jettent des regards
éperdus partout, et la femme voit enfin le landau sur
le quai et se met à crier, le train qui repart lentement,
les mains de l'homme qui tentent d'ouvrir les portes,
le train déjà dans le tunnel, les hurlements de la femme,
et ses pleurs, et ses appels à l'aide, soudain l'homme te

demande ce qui s'est passé, toi tu ne dis rien, toi tu les observes calmement tous les deux, lui répète sa question en criant, panique, hystérie, tellement en contraste avec ton calme, ton silence, ta fascination, alors il te saisit par le collet, te secoue, veut savoir si c'est toi qui as fait cela, ses yeux qui roulent de rage et d'incompréhension, et sa conjointe qui agrippe la manette d'urgence contre le mur, qui tire à l'arracher, deux fois, trois fois, mais rien ne se passe, aucun timbre ne retentit, la femme vocifère que ça ne fonctionne pas, alors tu ne peux t'empêcher d'émettre un ricanement rauque, sans aucune gaieté, le ricanement le plus âpre qui ait jamais franchi tes lèvres, et ta voix est aussi vide que

— *C'était quoi, les probabilités pour que cette manette marche pas ? Une sur mille ? Sur dix mille ?*

ta vie, alors le gars te frappe, un coup de poing sur la joue gauche, et il te demande en beuglant si tu es fou, si c'est toi qui as poussé le landau, tu tombes sur le plancher et tu reçois deux coups de pied, tu encaisses, tu ne te défends pas, tu ne bouges pas, tu sens le train s'arrêter, tu entends la femme qui hurle à son conjoint de venir, qu'ils doivent prendre le train en sens inverse, des pas qui sortent, des cris et des pleurs qui s'éloignent, le train qui repart, tu te relèves lentement, tu as tout juste le temps de voir le couple courir vers l'escalier du quai avant que le train ne disparaisse dans le tunnel, tu t'assois, masses ta joue toute rouge, ton ventre endolori, la vieille plus loin te dévisage avec épouvante, tu l'ignores et fixes le vide, puis tu descends à la station suivante, remontes à la surface, en plein centre-ville, une fine neige tombe toujours, tu marches au hasard, traverses les rues sans regarder, tu te fais klaxonner plusieurs fois mais tu ne réagis pas, tu examines chaque commerce que tu croises, restos, vêtements, cinémas, bijouteries, puis ce magasin de DVD, tu y entres, une vingtaine de personnes qui fouillent dans les rangées de films, quatre écrans de télévision qui diffusent toutes les mêmes images, tu trouves la section des films sportifs, tu examines longuement les DVD sur le hockey, le baseball, la course automobile, puis tu en prends un, et un autre, et un autre, et comme tu n'as pas assez de tes deux mains pour tous les contenir, tu vas te chercher un panier et tu le remplis, le caissier te lance un grand sourire, te demande si tu as gagné à la loterie, mais devant ton absence de réaction il n'insiste pas, mille trois cents dollars, le tout sur ta carte de crédit, tu sors du magasin avec deux sacs pleins, un dans chaque main, il a cessé de neiger, tu marches pendant une vingtaine de minutes, tu traverses un viaduc, t'arrêtes au milieu, déposes les sacs sur le sol, te penches sur la rambarde, une voie rapide passe huit mètres plus bas, voitures qui roulent à toute vitesse, tu sors un premier DVD, le suspends au-dessus du vide et le lâches, il tombe entre deux voitures et se fait écrabouiller en moins d'une seconde, tu prends un second DVD et le lances, cette fois il rebondit sur le capot d'une jeep, puis un troisième DVD, un quatrième, un cinquième, tu les jettes tous vers la route, un par un, certaines voitures zigzaguent un peu, ralentissent brusquement, mais sans plus, il te reste une dizaine de films lorsqu'une voix t'interpelle, un piéton, un homme d'une cinquantaine d'années, il est offusqué, il te demande pourquoi tu fais ça, il te dit que tu pourrais causer un accident, tu lances alors un DVD vers lui, l'homme bondit vers l'arrière avec stupéfaction, puis tu lui en lances un second, l'homme s'éloigne enfin rapidement, te traite de cinglé, et toi tu reviens à la balustrade et lances tes derniers DVD vers la route, tu deviens de plus en plus fébrile, tu sors ton portefeuille de ta poche, tu sors ta carte de membre du club sportif de ta ville, tu la lances dans le vide, puis tes autres cartes suivent le même chemin, cartes d'affaires de ton magasin d'articles de sport, assurance-maladie, assurance sociale, permis de conduire, Pétro-Points, Air Miles, tu les jettes toutes sauf ta carte de guichet et ta carte de crédit, puis tu tombes sur deux photos, l'une de ta femme et l'autre de tes deux enfants, tu les étudies longuement, tu te mordilles les lèvres, tes yeux s'emplissent de larmes, mais tu étends ta main vers le vide, tu écartes les doigts et les deux photos voltigent un moment avant de planer vers le bas, telles deux feuilles desséchées chutant d'un arbre, mais tu ne les suis pas des yeux jusqu'au sol, tu tournes les talons et t'éloignes, tu marches au hasard pendant un moment, la faim se pointe mais tu ne songes pas à manger, tu finis par t'asseoir sur un banc couvert de neige, les mains dans les poches de ton manteau, tu sens un papier dans tes poches et le sors, l'adresse de cette fille, Mélanie, tu réfléchis, te lèves, hèles un taxi qui passe, lui donnes l'adresse, vous démarrez, le chauffeur est un Haïtien en grande forme, qui parle de toutes sortes

de choses, qui dit que l'hiver est doux, qui sourit conti-
nuellement, toi tu conserves le silence un moment puis
tu lui demandes d'une voix atone comment il arrive à
être de si bonne humeur après ce qui est arrivé dans
son pays d'origine il y a un mois et demi, la sérénité de
l'Haïtien s'évapore d'un coup, silence, coups d'œil gênés
dans le rétro, puis sa voix se fait

— *C'est... épouvantable ce qui s'est passé là-bas, je le
sais, monsieur, mais... Qu'est-ce que vous voulez que je
fasse ?*

piteuse, et toi, en en-
tendant ces paroles, tu hoches la tête, tu

— *Vous avez ben raison... Pis votre indifférence est
sûrement le meilleur moyen de l'envoyer chier...*

marmonnes
lentement, et le chauffeur, qui t'a entendu, te demande
de qui tu parles, mais tu ne réponds rien, le chauffeur
dit qu'il ne comprend rien à ce que tu racontes, t'assure
qu'il n'est pas du tout indifférent au sort des siens, tu
te contentes de regarder dehors en silence, en massant
un peu tes côtes endolories, dix minutes, à destination,
à nouveau dans le quartier populaire de la veille, tu
reconnais *Le Losange* là-bas à deux coins de rue, l'immeuble devant toi a quatre étages, une affiche sur la
porte d'entrée indique « *logements à louer, voir appartement 1* », tu entres, liste des locataires avec les fentes
pour le courrier, pas de sonnettes, tu vas à la porte
d'accès et la pousse, elle n'est pas verrouillée, tu
consultes ton papier, montes trois étages, porte 7, tu
frappes, pas de réponse, alors tu t'assois un moment
sur le sol, tu t'appuies contre le mur, tu réfléchis, enfin

tu te lèves, descends, te retrouves sur le trottoir et
regardes autour de toi, las, fatigué, tu lis à nouveau
l'affiche contre la porte, alors tu rentres dans l'immeuble, vas à la porte numéro un, frappes, une femme dans
la trentaine à la peau ravinée et à la voix gutturale, c'est
la proprio, il y a deux logements à louer, un quatre et
demie semi-meublé pour l'année et un deux et demie
meublé à louer au mois, tu visites le deux et demie au
second étage, meubles bancals, four et frigo crasseux,
lit informe et grinçant, tu dis que c'est parfait, tu le
prends immédiatement, pour un mois, cinq cents dollars, tu paies comptant, puis tu vas faire des emplettes
au supermarché, nourriture en boîte, frites surgelées,
croustilles à profusion, caisse de bière, le tout te coûte
deux cent cinquante dollars, retour à ton appartement,
tu ranges les victuailles dans les armoires à la peinture
écaillée et dans le congélateur, tu enlèves ton veston,
ouvres une bière, la bois en te couchant dans ton lit,
puis tu t'endors rapidement, rêves furtifs de tes enfants
et de ta femme qui tombent dans le néant, ce sont les
bruits de pas dans l'escalier qui te réveillent, dix-huit
heures trente du soir, ta bière s'est renversée sur le plancher, tu vas à la porte, tu regardes dans l'œil magique,
tu reconnais Mélanie qui monte l'escalier, tu tergi-
verses une seconde puis tu sors, tu la salues, elle
s'immobilise en plein milieu de l'escalier, elle te reconnaît, elle est stupéfaite, elle est contente, elle est même
rassurée, elle descend te rejoindre et t'explique qu'elle
arrive justement du *Maquis* où elle espérait te revoir,
puis elle demande ce que tu fais dans cet appartement,
tu le lui dis, elle s'étonne à nouveau, tu expliques que

tu ne retourneras plus jamais dans ta maison, comme tu ne retourneras jamais au *Maquis,* elle hoche la tête gravement, silence, puis Mélanie sourit, répète qu'elle est contente de te voir et t'invite tout à coup à souper, comme ça, chez elle, tu acceptes nonchalamment, presque distraitement, elle doit se préparer, tu peux venir la rejoindre dans une heure, tu remarques enfin que son jeans est vieux et souillé de peinture et que son visage porte aussi quelques taches jaunes, tu retournes chez toi, tu vas à la salle de bain et t'examines dans le miroir, ta chemise blanche, ton pantalon noir, ta barbe de trois jours, tes cheveux dépeignés, tu reluques vers la douche, songeur, puis finalement tu sors de la pièce, vas t'ouvrir une bière et la bois assis dans le divan, tu ne fais rien, tu attends, dix-neuf heures trente, tu montes au troisième, Mélanie s'est lavée, Mélanie a mis des vêtements propres, Mélanie fait cuire des pâtes, tu examines vaguement l'appartement, meubles usés, décoration modeste, trois posters de films sur les murs, *Titanic, Pretty Woman, Amélie Poulain,* elle te demande si tu veux boire quelque chose, oui, une bière, elle t'en amène une, vous vous assoyez au salon, tu t'étonnes qu'elle ne boive rien mais elle secoue la tête, fuyante, plus tard peut-être, elle remarque ta petite ecchymose sur la joue, te demande ce qui s'est passé, tu réponds que ce n'est rien, silence, le bouillonnement des pâtes qui cuisent, tu regardes autour de toi, deux peintures quelconques sur le sol dans un coin, Mélanie suit ton regard, elle glousse, elle dit qu'elle veut installer ces cadres depuis des semaines et qu'elle trouve toujours une bonne raison pour ne pas le faire, tu ne réagis pas, le silence, Mélanie ne te quitte pas des yeux, comme si elle attendait quelque chose, tu te frottes le nez, puis tu déposes ta bouteille vide sur la table, puis tu te lèves, puis tu fais deux pas vers la porte dans l'intention de partir, mais Mélanie retourne au même moment à son four, clame d'une voix trop enthousiaste que c'est prêt, alors tu t'installes presque à contrecœur à la table, vous mangez tous les deux, spaghetti sauce à la viande, tu ne fais aucun commentaire sur la nourriture, Mélanie s'excuse de ne pas avoir de vin, silence, puis tu articules, la bouche pleine, que tu ne sais pas pourquoi tu as accepté son invitation, ta remarque ne la vexe pas, elle semble même satisfaite de la tournure de la conversation, elle avale sa bouchée avant de

— *Parce que tu sais qu'on peut s'aider tous les deux...*

répondre, tu as un tic embêté, tu manges à toute vitesse, tu dis que ce n'est pas ça du tout, que tu es juste ici parce que tu veux coucher avec elle, je sais que tu dis cela pour la provoquer, pour la choquer, mais ses lèvres s'étirent d'un sourire triste, fourchette qui tournoie dans les pâtes, deux ou trois bouchées, aucune ironie ou

— *Tu veux plus aller à la Zone, tu veux plus retourner chez vous... Tu effaces tout, c'est ça ? Tu veux plus garder aucun lien avec ton ancienne vie... Tu penses que c'est la solution ?*

accusation dans sa voix, alors tu lui demandes brutalement si elle fait ça souvent, sortir dans les bars pour recueillir les malheureux dans l'espoir de les aider, cette fois elle semble

touchée, cette fois elle baisse les yeux, elle répond que
non, c'est juste qu'elle aussi souffre, elle te rappelle
que toi-même tu t'en es rendu compte hier soir, elle a
vécu un grand malheur et cela lui a ouvert les yeux
sur plein de choses, sur les gens, tout à coup tu paniques presque, tu l'interromps, tu lèves une main, tu la
préviens que tu ne veux pas savoir ce qui lui est arrivé,
les malheurs des autres ne t'intéressent pas, tu ne lui
demandes absolument rien, mais Mélanie n'est pas
offusquée, elle hoche la tête, compréhensive, elle précise sa pensée, en choisissant bien ses

    — *Moi non plus, je veux pas que tu me racontes ton
histoire, mais une chose est sûre, notre malheur commun nous rapproche pis on peut s'aider. Moi, j'ai déjà
commencé à m'aider moi-même. Tu sais ce que j'ai fait,
aujourd'hui ?*

                          mots, mais tu te
lèves vivement, dis que ça ne t'intéresse pas, remercies
rudement pour le souper, marches vers la porte, puis
c'est au tour de Mélanie de se lever, un rien inquiète,
elle veut savoir ce que tu vas faire ce soir, tu réponds que
tu vas sortir dans un bar, elle se tortille les doigts, tout
à coup timide, elle te demande si elle peut t'accompagner, tu as une moue indécise, tu précises que tu ne
sais pas, que tu veux baiser ce soir, avec elle ou une
autre, la provocation, toujours, tu décèles de la pitié
dans son regard, elle dit qu'elle comprend, elle comprend ton attitude, elle comprend que tu es encore
dans la colère, mais toi tu secoues la tête avec un rictus
mauvais, tu dis que ce n'est pas de la colère, tu dis que
c'est pire, silence, elle répète qu'elle ne veut pas cou-

cher avec toi mais qu'elle veut être avec toi, tu précises
que tu pars à l'instant, elle enfile son manteau, vous
vous retrouvez dehors, il fait maintenant très froid, tu
marches vers *Le Losange* mais Mélanie ne veut pas,
Mélanie préfère aller quelque part où on ne la connaît
pas, Mélanie aspire à l'anonymat, tu hausses les épaules,
indifférent, tu lui dis que tu n'as plus de voiture, elle ne
pose pas de questions et propose de prendre la sienne,
vous montez dans sa petite Honda Civic verte, tu
regardes dehors en silence, les autres voitures, les
vitrines des commerces, mais surtout les gens, tu les
suis longuement des yeux, tu veux aller dans une discothèque, Mélanie n'a pas vraiment envie de danser,
tu lui fais sèchement remarquer qu'elle n'a qu'à ne pas
te suivre, c'est tout, elle garde le silence un moment,
dit qu'elle connaît une discothèque où la clientèle n'est
pas composée uniquement d'adolescents, quinze
minutes, arrêt, puis entrée dans l'établissement, sombre, musique rock tonitruante, peu de gens pour
l'instant, piste de danse déserte, direction bar, tu commandes une bière sans demander à Mélanie ce qu'elle
veut, elle commande comme toi, quelques gorgées en
silence, les basses de la musique font vibrer le plancher,
les autres clients doivent avoir dans la trentaine ou fin
vingtaine, trente minutes, déjà quatre bières de bues, tu
commences à être allumé, un succès rock des années 90
envahit la salle, alors tu veux danser, tu ordonnes
presque à Mélanie de te suivre, elle accepte sans plaisir
ni déplaisir, vous vous retrouvez tous les deux sur la
piste de danse, et tu te trémousses, et tu sautes, et tu
joues du *air guitar*, Mélanie danse avec plus de sobriété,

en te regardant avec un doux sourire triste, trois autres danseurs rejoignent la piste, deux femmes et un homme, un peu plus jeunes que toi, et toi tu gesticules avec frénésie, et tu as les yeux fermés, et tu ne les ouvres pas une seule fois pendant quinze minutes, jusqu'à ce que Mélanie te glisse à l'oreille qu'elle retourne s'asseoir au bar, tu en profites pour regarder autour de toi, plus de gens que tout à l'heure, cinq danseurs sur la piste, et tu te remets à danser de plus belle, et tu refermes les yeux, et tu te démènes pendant trente autres minutes, enfin c'est l'épuisement, le souffle court, tu t'arrêtes, les mains sur les cuisses, grandes respirations, cheveux collés sur le front par la sueur, chemise détrempée, il y a maintenant une quinzaine de danseurs autour de toi, dont cette fille, début trentaine, mignonne, qui danse bien, tu t'approches d'elle et lui cries littéralement que tu aimerais bien coucher avec elle, elle te dévisage, émet un rire incrédule puis te tourne le dos, mais tu insistes, mais tu lui prends le bras, mais tu lui demandes ce qu'elle en pense, et elle veut que tu la laisses tranquille, elle veut se dégager, elle veut s'éloigner, et le gars avec elle intervient enfin, il te demande ce qui se passe, tu lui expliques que tu veux tout simplement t'envoyer sa copine, mais le gars ne la trouve pas drôle, le gars prend un air menaçant, le gars t'ordonne de dégager, et toi tu le confrontes avec

— *Ça doit faire quinze ans que je me suis pas battu, mais je suis sûr que ça me reviendrait vite ! Même que ça me tente pas mal, je te dirais !*

arrogance, alors le gars devient perplexe, il doit se dire qu'il ne sortirait pas vainqueur d'une bagarre contre toi, tu es plus petit que lui mais plus costaud, il opte donc pour un ricanement ambigu puis te tourne le dos, mais tu lui prends l'épaule, mais tu le retournes violemment, mais tu lui assènes un coup sur le nez, et le gars titube, perd l'équilibre, tombe sur le sol, confusion parmi les danseurs, cris de la fille, ton pied droit percutant les côtes du gars, ton pied levé pour un second coup, mais des bras te tirent vers l'arrière, les bras de Mélanie, Mélanie qui te dit d'arrêter, mais tu la repousses, donnes encore deux coups de pied au gars qui gémit sur le sol, puis tu t'arrêtes, tu humectes tes lèvres convulsivement, les clients en cercle autour de toi, regards inquiets et hostiles, crise et sanglots de la fille, deux clients marchent alors vers toi avec du feu dans les yeux, leurs intentions sont on ne peut plus claires, mais Mélanie te prend à nouveau le bras, dit qu'il faut partir tout de suite, tu marches donc vers la sortie, dehors, tu marches de long en large en ricanant, Mélanie sort au bout d'une minute, elle a récupéré ton manteau, tu l'enfiles, ouvres grand les bras en respirant l'air froid de la nuit, en

— *Criss ! Comment j'ai pu me passer de ça pendant si longtemps !*

exultant littéralement, Mélanie te dit que tes agissements ne mènent à rien mais tu la coupes brutalement, il ne t'est rien arrivé, alors qu'elle cesse de te faire la leçon, Mélanie soupire, Mélanie se passe une main dans les cheveux, Mélanie dit qu'elle va rentrer, et toi tu rétorques qu'elle peut bien foutre ce qu'elle veut, toi tu vas aller dans une autre discothèque, tu te mets en marche, tu l'entends

derrière qui t'implore de ne pas faire de conneries, alors
tu te retournes et tes éclats envahissent la

— *Ça veut rien dire, ce que tu dis là ! Rien !*

rue sombre,
tu repars à grandes enjambées, et la voix de Mélanie
toujours dans ton dos te dit que demain matin elle
va quelque part, qu'elle aimerait que tu viennes avec
elle, qu'elle pourrait passer te prendre vers neuf heures,
mais tu ne réponds rien, tu marches toujours d'un
pas de soldat qui entre en terrain conquis, le manteau
détaché, insensible au froid mordant, tu croises des
bars mais tu cherches une discothèque, tu en déniches
enfin une, entres, donnes ton manteau au vestiaire,
salle presque pleine, moyenne d'âge d'environ vingt-
deux ans, tu te fais regarder par plusieurs comme un
dinosaure, tu t'en moques, tu soutiens même leurs
regards avec arrogance, tu te rends au bar, une bière,
puis une autre, plein de belles jeunes filles autour,
quinze minutes durant lesquelles tu bois et regardes,
tu débusques alors une fille, là-bas, sur la piste, vingt-
trois ans maximum, pas particulièrement belle, un
peu ronde, mais sa façon de danser, mais ses mouvements de hanches, mais son regard sensuel, tu ne la
quittes plus des yeux, en dix minutes deux garçons
dans la vingtaine tentent des approches auprès d'elle,
et elle les repousse d'un air moqueur, elle continue
de danser seule, et elle ondule son bassin de manière
lascive, alors tu commandes un shooter, le descends
d'un trait et vas sur la piste, près de la danseuse, tu
danses tout contre elle, la fille te remarque, la fille
s'étonne, la fille sourit, puis elle te tourne le dos, non

pas pour t'ignorer mais pour approcher sa croupe de ton bassin, langoureux frottement, tes mains sur ses hanches, mouvements à l'unisson, elle te regarde par-dessus son épaule avec un sourire entendu, te fait face, dépose ses deux bras sur tes épaules, vous parlez un peu tout en dansant, tu apprends qu'elle s'appelle Andréane, qu'elle vient ici de temps en temps mais qu'elle trouve les gars de son âge généralement pas très intéressants, tout à coup tu l'embrasses à pleine bouche, elle se raidit une fraction de seconde, puis rigole, se déhanche tout contre toi, vous dansez ainsi pendant vingt minutes, musique, lumières, sueur, désir, puis elle soupire à ton oreille qu'elle travaille demain matin, qu'il faut qu'elle rentre tôt, tu rétorques que tu l'accompagnes, elle glousse, susurre que tu ne perds vraiment pas de temps, moins de trente minutes plus tard vous entrez tous les deux dans son appartement, tu titubes tant tu es soûl, elle t'entraîne par la main dans sa chambre, petite lampe de table allumée qui éclaire discrètement la pièce, horloge qui indique un peu plus de minuit, un sommier et un matelas à même le sol, un bureau de travail couvert de papiers, une petite table en verre couverte de bibelots de verre, vous vous embrassez, excitation, vêtements qui tombent, nudité complète, tu as une érection incroyable, vous tombez sur le matelas, tu la caresses, tu halètes, mais tu te lèves, dis que tu dois aller à la salle de bain, que ça ne prendra qu'une minute, Andréane rit tandis que tu traverses l'appartement obscur, tu trouves la salle de bain, urines difficilement à cause de ton érection, puis reviens rapidement dans la chambre, marches vers le matelas sur lequel Andréane est toujours couchée, Andréane qui s'étire vers un tiroir, Andréane qui sort quelque chose de ce tiroir, un condom, c'est un condom, et la vue du préservatif te fige net, tu t'immobilises juste à côté du matelas, déconcerté, puis tu craches avec mépris qu'il est hors de question que tu enfiles ça, elle fronce alors les sourcils, refroidie par ta réaction, mais elle ricane un peu pour dédramatiser la situation, dit qu'elle est peut-être jeune mais pas inconsciente, tu l'assures que tu es « safe », que tu as baisé avec la même fille pendant neuf ans, mais elle ne démord pas, pas question de prendre le moindre risque, elle sourit toujours mais on sent l'impatience poindre, elle commence à déchirer l'enveloppe du condom mais tu te penches, le lui prends des mains et le lances contre

— *Ça donne rien, ça ! C'est de l'illusion ! Du mensonge !*

le mur, cette fois elle ne sourit plus, cette fois elle se redresse sur ses coudes, cette fois elle est en colère à son tour et te dit que tu as trop bu, que tu ferais mieux de partir tout de suite, alors tu clignes des yeux, tu as un ricanement idiot et tu balbuties une excuse, tu vas chercher le condom et tu reviens vers le matelas en affirmant que tu vas le mettre, d'accord, pas de problème, tu commences même à te pencher vers le matelas, mais Andréane te repousse, décrète que c'est trop tard maintenant, que tu as gâché l'ambiance, elle accompagne ses paroles d'un petit rire amer et froid, en évitant ton regard, et toi tu demeures figé un moment, debout, et tu la dévisages, elle, couchée juste là, nue, et ton érection a disparu, ton sexe pend mollement entre tes cuisses, alors tu hoches la tête avec dédain et lui demandes si elle croit que ça fonctionne ainsi, elle te regarde enfin, elle est perplexe, elle ne comprend pas, tu continues sur un ton de reproche, elle croit donc qu'elle peut ramener des gars chez elle, comme bon lui semble, et si ça ne fonctionne pas à sa façon, tant pis pour eux, ils n'ont qu'à repartir, la queue entre les jambes, c'est ça, elle se relève sur ses coudes, le visage méprisant, elle te répète de partir, c'est un ordre maintenant, mais toi, tu poursuis ta lancée, debout au-dessus

— *Tu te penses plus forte que les autres ? Que t'as plus de droits ? T'as jamais pensé qu'à un moment donné, ça marcherait peut-être pas comme tu l'avais voulu ? Que ça peut pas toujours marcher comme on veut ? Que par exemple, tu pourrais ramener un maniaque, un bon soir ? Hein ? Pis si j'en étais un, justement, un maniaque ? Un fou ? Tu ferais quoi, là, hein ?*

d'elle, mais Andréane en a assez, Andréane veut se lever, mais tu la repousses brutalement, elle retombe, s'offusque, commence à se relever en te traitant de con, de con frustré, alors tu la frappes, une gifle, fulgurante, en plein visage, elle retombe à nouveau, et maintenant elle ne dit plus rien, maintenant elle palpe sa joue, maintenant elle te dévisage avec frayeur, couchée sur le dos, et toi tu mimes une expression de surprise, tu chantonnes d'une voix caricaturale que, ho ! c'était pas prévu, ça, hein, pas prévu du tout, elle ne sait vraiment plus ce qui va se passer, maintenant, la petite agace, n'est-ce pas, et la fille se met à crier, la fille appelle à l'aide, cris qui te font grimacer d'agacement, qui déclenchent l'étirement de ta main vers le bureau, qui t'encouragent à attraper le premier truc qui te tombe sous les doigts, la lampe de chevet, tu l'amènes à toi, le cordon d'alimentation qui s'étire jusqu'à se débrancher du mur, la pièce qui plonge dans l'obscurité, les cris d'Andréane qui redoublent, ces foutus cris, ces cris qui ressemblent peut-être à ceux qu'ont poussé ta femme et tes enfants dans leur ultime minute de vie, est-ce pour cette raison qu'ils te rendent fou, est-ce pour cela que tu poses ta main libre sur une de tes oreilles, que tu lèves la lampe au-dessus d'Andréane en lui hurlant de se la fermer sinon tu la frappes, elle cesse ses cris, elle sanglote, mais tu brandis toujours la lampe, tu beugles que tu pourrais lui fracasser le crâne avec cette lampe, alors elle ferait quoi, hein, que pourrait-elle y faire, y a-t-elle seulement songé, elle te supplie de ne pas faire ça, et tu lances la lampe contre un mur, et tu regardes autour de toi, tel un aveugle enragé, et tu attrapes la petite table de verre, la soulèves, les bibelots qui tombent sur le plancher, tintements stridents comme une pluie de cristaux, et tu reprends ta position au-dessus d'Andréane, les jambes plantées dans le matelas de chaque côté de son corps tremblant d'épouvante, la table de verre brandie au-dessus d'elle, tu cries pour couvrir ses sanglots et ses supplications, tu

— *Ou avec cette table ? Ce serait pire ! Y as-tu pensé ? Pis est-ce que je vais le faire ? Hein ? Qui peut dire si je*

vais le faire ou non ? Qui peut le dire ? Ni toi, ni moi !
Personne ! Pis surtout pas lui ! Surtout pas ce...

        t'époumones, mais la panique
lui détend soudain les jambes, elle donne des coups à
l'aveuglette, en couinant, sa jambe droite percute ton
genou gauche, cri de douleur, perte d'équilibre, chute
sur le côté, relâchement de tes mains, tentative pour
retrouver l'équilibre, mais tu te rattrapes juste à temps
au bureau, tu réussis à demeurer debout, le silence
soudain dans la pièce, plus de cris ni de pleurs, tu
portes tes yeux vers le matelas, silhouette d'Andréane
dans la noirceur, silhouette qui ne bouge plus, et cette
masse sombre qui recouvre son visage, la table, la
petite table de verre que tu as laissé tomber involon-
tairement en tentant de reprendre ton équilibre, tu te
précipites vers le mur, te fracasses le tibia contre une
chaise, trouves un commutateur que tu actionnes,
une ampoule au plafond vomit sa violente lumière
dans la pièce, tu distingues maintenant tout avec pré-
cision, le visage ensanglanté d'Andréane recouvert
des débris de verre de la table éclatée, les nombreuses
coupures dont deux profondes au front et une très
large à la gorge, tout ce sang qui s'écoule silencieuse-
ment, et surtout cette immobilité, cette totale et
immuable immobilité, tu ouvres et fermes la bouche
plusieurs fois, tu t'approches, tu te penches, prends
le poignet, cherches le pouls, laisses retomber la main,
puis tu te relèves, tu gémis, tu déposes lentement tes
deux mains sur ta tête et tu demeures ainsi de longues
minutes, le visage crispé en une contorsion de terreur
hideuse, une expression comme je ne t'en ai jamais

vue, enfin tu te mets en marche, tu sors rapidement
de la chambre, tu vas à la porte d'entrée, tu l'ouvres,
tu jettes des coups d'œil partout dehors, rue résidentielle déserte, galeries environnantes vides, fenêtres
des autres appartements ténébreuses, tu frissonnes
de froid, tu es toujours nu, tu refermes la porte et
retournes dans la chambre, tu enfiles ton pantalon
sans quitter Andréane des yeux, tu remets ta chemise
sans quitter le cadavre des yeux, tu glisses tes pieds
dans tes bas sans quitter la morte des yeux, ta respiration lente mais forte, ta mâchoire crispée, tu sors de la
chambre, erres dans l'appartement obscur, et finalement tu te laisses tomber dans le divan en soupirant,
bras ballants entre les jambes, tu ne bouges plus, en
attente, résigné, puis tu t'endors, sommeil sans rêve,
tu ouvres les yeux, le soleil par les fenêtres, tu fronces
les sourcils et te lèves, l'horloge murale indique sept
heures trente, tu regardes autour de toi, dubitatif, puis
tu retournes dans la chambre, le cadavre d'Andréane
est toujours là, doublement éclairé par l'ampoule et
le soleil, le sang ne coule plus, le sang a séché, tu reviens
dans le couloir, de plus en plus perplexe, tu enfiles tes
bottes, ouvres la porte d'entrée, effectues quelques pas
sur la galerie, froid mordant mais soleil magnifique,
tu t'appuies contre la balustrade en fer forgé, deux piétons qui marchent en bas sans te regarder, une voiture
qui passe et s'éloigne, tu observes tout cela avec éton-
nement, puis des pas se font entendre, un homme descend de l'appartement au-dessus, passe tout près de
toi, t'accorde à peine un regard, toi tu lui dis bonjour,
avec un regard plein de défi, et lui grommelle un bon-

jour endormi, sans ralentir sa descente, se retrouve
dans la rue et s'éloigne, tu le suis des yeux un bon
moment, jusqu'à ce qu'il disparaisse au bout de la rue,
tu examines à nouveau les alentours, debout, les mains
sur les hanches, la tête inclinée sur la gauche, les
quelques quidams sur les trottoirs, les voitures, le quo-
tidien, alors tu émets un ricanement à la fois incrédule et impudent, retournes dans l'appartement,
enfiles ton manteau qui traînait sur le sol et sans un
regard vers la chambre à coucher, tu sors, tu descends,
tu marches dans la rue, tu fixes avec intensité chaque
personne que tu croises, puis tu vas manger un rapide
déjeuner dans un café, l'air ailleurs, rêveur, puis un
taxi, arrêt devant ton nouveau chez toi, tu entres dans
ton appartement et t'assois dans ton divan bancal,
immobilité, profondes pensées, vingt minutes, alors
on frappe à la porte, alors tu tournes la tête vers celle-
ci, alors tu hoches lentement la tête, résigné et déçu à
la fois, comme si tu savais que ça ne pouvait pas durer,
tu marches donc vers la porte d'un pas lourd, tu
ouvres, mais tu es si étonné en reconnaissant Mélanie
que tu regardes derrière elle pour t'assurer qu'il n'y a
personne d'autre, elle te demande ce qui se passe, tu
émets un son qui tient autant du ricanement que du
grognement et réponds que justement, il ne se passe
rien, silence, elle te regarde, silence, tu articules lentement qu'elle n'a aucune idée de ce que tu as fait cette
nuit, mais elle ne veut pas le savoir, elle secoue la tête,
elle change rapidement de sujet en te rappelant qu'elle
voulait t'amener quelque part aujourd'hui, tu
demandes où, elle dit que tu verras bien, tu as une

lippe ennuyée et pourtant tu acceptes, et elle dit qu'elle
te laisse dix minutes pour te préparer mais tu
rétorques que tu es prêt, elle s'étonne, elle t'examine,
cheveux sales, barbe hirsute, vêtements fripés et malo-
dorants, mais elle ne fait aucun commentaire, elle-
même porte ses pantalons tachés de peinture, tu
prends donc ton manteau, tu la suis, tu montes dans
sa voiture, vous roulez en silence un bon moment
puis tu parles enfin, sans la regarder, dis que si elle
savait ce que tu as fait cette nuit, elle ne voudrait plus
t'aider, mais elle a un mouvement négligent de la
main, répète que ce n'est pas que toi qu'elle veut aider
mais aussi elle-même, c'est ça que tu dois comprendre,
elle insiste là-dessus, mais ses paroles ne te soulagent
pas, tu te tortilles sur ta banquette, tu grimaces, tu
n'as pas l'air bien, tu grommelles qu'il serait mieux
que tu sortes ici, mais elle annonce que vous y êtes
presque, vous êtes quelque part dans l'est de la Ville,
immeubles et commerces défraîchis, certains vétustes,
la Honda s'engage dans une petite rue qui se termine
en cul-de-sac, puis c'est l'arrêt, une grande maison à
deux étages, murs extérieurs rayés de traces noires,
comme des brûlures, vous marchez vers l'entrée, terrain couvert de débris de toutes sortes, morceaux de
vitres, planches brûlées, outils divers, vous franchissez
la porte, grande salle en pleine rénovation, quatre ou
cinq personnes, hommes et femmes adultes, en train
de peindre, de rafistoler, de clouer, musique pop dif-
fusée par une radio CD dans un coin, la plupart des
gens saluent Mélanie en souriant, et Mélanie salue la
plupart des gens en souriant, elle demande où est le

père Léo, un gars en train de plâtrer un trou dans un mur répond qu'il est dans son bureau, Mélanie marche vers l'escalier, mais tu hésites, demeures sur place, farouche devant tous ces gens, alors elle te prend la main pour te guider, contact qui te fait sursauter, mais tu ne retires pas ta main, tu la suis, vous montez un escalier et arrivez dans une autre salle plus petite, encore des gens au travail, encore des travaux en cours mais beaucoup plus avancés, couleurs vives et criardes, posters de films, de groupes musicaux, de vedettes de l'heure, Mélanie t'entraîne dans une petite pièce au fond, deux hommes y discutent en consultant un plan étendu sur un bureau, l'un d'eux est plus vieux, une soixantaine d'années, habit noir, collet romain, Mélanie s'approche d'eux, tu lui lâches la main mais tu la suis, le prêtre lève la tête, salue Mélanie, heureux, souriant, lui dit que le salon est presque terminé, Mélanie examine la pièce en affirmant que c'est très bien, que les jeunes vont vraiment aimer venir relaxer dans cette salle, l'interlocuteur du prêtre s'éloigne puis Mélanie te présente, il se nomme Léo, père Léo, elle explique à l'homme d'Église qu'elle t'a rencontré récemment et qu'elle souhaitait te montrer tout ça, le père Léo te serre la main chaleureusement en te regardant droit dans les yeux, te demande si tu es ici pour te joindre au groupe, tu serres mollement sa main, tu ne réponds rien, méfiant, alors Mélanie précise qu'elle ne t'a pas encore expliqué ce qui se passe ici, le prêtre hoche la tête sans te quitter des yeux, regard incroyablement doux, puis quelqu'un l'appelle d'une pièce voisine, il s'excuse, sort du

bureau, tu dévisages Mélanie d'un regard interroga-
teur et presque accusateur, elle t'explique enfin, c'est
un groupe de volontaires qui s'affairent depuis deux
mois à retaper cette maison pour jeunes qui a brûlé cet
été, c'était le seul endroit où les adolescents défavori-
sés de ce quartier pouvaient se retrouver, mais le gouvernement a refusé d'investir dans les rénovations de
la maison, alors le groupe du père Léo est intervenu,
le groupe a pris les travaux en mains, le groupe fait
tout cela de façon bénévole, mais toi tu ne comprends
pas trop, tu demandes qui est ce groupe exactement,
la voix de Mélanie devient respectueuse, admirative,
pleine de compassion, le père Léo a mis sur pied il y
a deux ou trois ans une sorte d'association qui
accueille tous les gens qui souffrent ou qui cherchent
à redonner un sens à leur vie, et ce groupe s'investit
toujours dans des projets communautaires, toujours
pour les exclus, toujours de façon bénévole, comme
l'année dernière lorsque le groupe a monté une
immense campagne de financement pour subvention-
ner la bibliothèque d'une école pour enfants sévère-
ment handicapés, tu écoutes mais ta méfiance persiste,
ta méfiance grandit, tu demandes à Mélanie si ça fait
longtemps qu'elle est dans cette association, elle
répond qu'elle connaît l'existence du groupe depuis
plusieurs mois, qu'elle y était déjà venue à l'occasion,
hésitant toujours à s'investir réellement mais que ça
fait seulement quelques jours qu'elle participe vraiment, elle le dit avec une
     — *Pis en trois jours, t'as pas idée du bien que ça m'a
fait... Ç'a pas fait disparaître ma souffrance, mais ça*

m'a juste montré que... que je servais pas qu'à ça, qu'à
souffrir, que je pouvais faire mieux...

fierté rayonnante, alors ta mé-
fiance devient mépris, ta voix se fait dédaigneuse, si
elle croit que tu vas joindre ce groupe, elle perd vraiment son temps, et tandis que tu descends l'escalier, tu
l'entends qui te demande ce que tu vas faire de ta souffrance, mais tu ne lui réponds pas, tu arrives en bas, tu
traverses la grande salle, puis tu t'arrêtes un moment,
observes avec une curiosité morose ces gens qui travaillent, ces gens à l'air serein, ces gens qui te saluent
poliment avant de se remettre au travail, tu sens alors
une présence près de toi, tu te retournes, c'est le père
Léo, toujours souriant, il demande si tu souffres toi
aussi, en fait non, c'est davantage une affirmation
qu'une question, tu lui demandes assez durement ce
qu'il en sait, mais il ne se démonte pas, il répond que
c'est évident, que c'est sans doute pour cette raison que
Mélanie t'a amené ici, tu ne dis rien, tu vois du coin
de l'œil Mélanie descendre l'escalier avec un type, tous
deux transportent un meuble, tu précises que tu la
connais à peine mais le prêtre dit que cela n'a aucune
importance, et sa voix est un

— *Il ne s'agit pas de se connaître, mais de se recon-*
naître. Tous les gens qui souffrent intensément se recon-
naissent.

ruisseau qui coule, pai-
sible et rassurant, et Mélanie là-bas dépose le bureau
au sol, Mélanie tourne la tête vers toi, avec ce sourire
qu'elle affiche si souvent, mélange de douceur et de
tristesse, alors tu détournes le regard, évites celui du

père Léo puis marches vers la sortie, dehors, errance, perdu dans tes pensées glauques et lourdes, une heure, deux heures, rues animées en ce samedi midi, foule qui te croise et se fend contre toi, te contourne comme l'eau contre un débris à contre-courant, tu entres dans un *fast-food*, trois hamburgers, deux portions de frites, deux boissons gazeuses, retour dans les rues gluantes de gadoue noire, température douce, ciel couvert, cette fois tu marches dans un but précis, cherches certaines rues, les trouves, t'arrêtes souvent, hésites, repars, puis tu reconnais enfin le quartier de la veille, marches avec assurance, te retrouves dans une rue résidentielle, duplex et triplex partout, mais plus tu approches de l'appartement, plus tu ralentis, tourmenté, tu aperçois trois autos-patrouilles au loin, dont une qui bloque la rue, tu t'approches du périmètre, deux flics qui empêchent les gens d'approcher, trois curieux qui se tiennent près d'eux, qui regardent vers l'appartement d'Andréane, duquel entrent et sortent des gens, sans doute des inspecteurs, des hommes sérieux et graves, tu t'arrêtes près des curieux, tu observes avec attention les deux flics qui empêchent les gens de passer, mais eux ne font pas attention à toi, blasés, indifférents, tu demandes enfin ce qui s'est passé, ta voix est étrange, trop aiguë, l'un des flics répond qu'il ne peut rien dire, un des quidams te glisse que c'est sûrement un mort, il a vu une civière sortir tout à l'heure, tu reviens au flic et tu insistes, comme par

— *C'est un meurtre, c'est ça ?*

                                          défi, mais
le policier répète avec lassitude qu'il ne peut rien dire,

et toi tu continues de le fixer, de le dévisager, comme si tu voulais lui lancer un message avec ton regard, mais il ne s'occupe plus de toi, il observe les alentours avec ennui, alors tu hoches la tête, alors tu tournes les talons, alors tu t'en vas, soixante-dix minutes, retour dans ton nouveau quartier, tu vas directement au *Losange*, tu es le seul client, tu t'installes à une table, tu bois une bière, puis une seconde, le bar se remplit de quelques clients au cours de l'après-midi, tu ne les regardes même pas, tu ne regardes rien, rien du tout, à dix-huit heures la serveuse termine sa journée et est remplacée par une autre, tu reconnais Guylaine, la serveuse de l'autre soir qui semblait connaître Mélanie, tu la reluques un moment, songeur, elle te lance un coup d'œil en préparant sa caisse, te fait un vague sourire, mais elle ne t'a pas nécessairement reconnu, tu prends une gorgée de ta troisième bière, indifférent aux quatre ou cinq autres clients qui ont l'air aussi seuls que toi, et tout à coup Mélanie entre, elle n'a plus son pantalon de travail, elle te voit, elle est contente, elle vient s'asseoir à ta table, tu la laisses faire sans un mot, elle est allée chez toi, a vu que tu n'y étais pas, a songé que tu pouvais être ici, tu ne dis toujours rien, puis elle t'invite à souper mais dans un restaurant cette fois, tout près, ho, rien de chic, elle n'a pas beaucoup d'argent, elle est sur le BS depuis plusieurs mois, mais la nourriture est bonne, l'ambiance sympa, et toi tu l'observes avec curiosité, tu jongles avec l'idée, tu secoues la tête, et pourtant tu acceptes, en affectant l'indifférence mais tu acceptes tout de même, Guylaine s'approche et Mélanie explique que

vous partez à l'instant, moue étonnée de la serveuse,
puis Mélanie marche vers la sortie en t'invitant à la
suivre, dehors il fait déjà nuit, vous marchez quelques
minutes à peine, vous entrez dans un restaurant,
endroit modeste, décoration criarde, musique mélo,
salle à moitié pleine, vous prenez une table au fond,
elle commande une brochette, tu commandes plein de
trucs, beaucoup trop, Mélanie te reluque avec malaise
mais ne dit rien, puis elle te parle du projet du père
Léo, que les rénovations de la Maison des jeunes avan-
cent bien, que d'ici une semaine tout devrait être terminé, elle est excitée, passionnée, exaltée, tu écoutes
sans un mot, les repas arrivent, vous mangez, elle parle
toujours de son groupe de bénévoles, puis te demande
pourquoi tu n'es pas resté avec eux aujourd'hui, tu
mâches ton souvlaki détrempé de sauce, tu réponds
que ça ne t'intéresse pas, elle n'est pas offusquée, déçue
mais pas offusquée, affirme que certains peuvent effec-
tivement résister au début, comme elle lors de ses pre-
mières visites il y a quelques semaines, elle ne s'est
vraiment impliquée que depuis quelques jours, mais
tu soupires, tu dis que ce n'est pas pareil, qu'elle cher-
chait de l'aide dès le départ, alors que toi tu n'en
cherches pas, tu ne cherches aucune aide, tu ne cherches
personne, et ta voix est sèche, ta voix est dure, ta voix
roule dans sa propre absence de résonance, Mélanie
rétorque que tu crois ne rien chercher, tu prends une
gorgée du mauvais vin que tu as commandé, demandes
en grommelant pourquoi elle tient tant à t'aider, alors
elle te répète qu'elle le fait aussi pour elle, comme tous
ces gens que tu as vus ce matin à la Maison des jeunes,

eux aussi font tout cela autant pour les enfants défavo-
risés que pour eux-mêmes, c'est ça que tu dois comprendre, mais tu as déjà terminé de manger, tu essuies
ta bouche avec le revers de ta main, tachant la manche
de ta chemise de plus en plus défraîchie, affirmes avec
une certaine agressivité que tu ne veux pas d'aide, mais
cela ne la démonte pas, et son sourire revient, doux et
triste, comme

— *Pourtant, tu déménages dans le même immeuble*
que moi, tu sors avec moi dans les bars, tu acceptes mes
invitations à souper, même si je refuse de coucher avec
toi...

toujours, elle doit remarquer ton irrita-
tion car elle te prend la main, tu sursautes, Mélanie dit
que ce n'est pas grave, Mélanie est patiente, Mélanie
attendra que ta colère s'apaise, alors tu dégages ta
main, tu grognes que si elle savait ce que tu as fait la
nuit dernière, elle serait pas mal moins conciliante
avec toi, mais elle ne détourne pas les yeux, elle marmonne que tout le monde fait des choses terribles, tu
grimaces un mauvais

— *Mais moi, je me crisse de ce que je fais.*

rictus, elle secoue la tête douce-
ment, son sourire exaspérant, et elle murmure un
mot, un seul, « menteur », dans un souffle qui passe
sur ta joue comme une plume de métal, alors tu te
lèves, elle te demande où tu vas, tu réponds que ton
repas est terminé, il n'y a pas de raison que tu restes,
elle te demande si tu veux prendre un verre quelque
part, tu refuses sèchement, lui dis au revoir sans la
remercier pour le repas, marches vers la porte, elle ne

te dit rien, ne tente pas de te retenir, tu te retrouves dehors, la température est étonnamment douce, tu marches dans la neige aplatie, le pas rageur, la mâchoire serrée, et tu t'arrêtes, et tu réfléchis un moment, et tu fais signe à un taxi, le chauffeur te demande où tu vas, tu lui donnes le nom de ce quartier très dangereux dont on parle si souvent dans les journaux, la voiture roule, quinze minutes, arrêt à une intersection, tu paies le conducteur, sors, tu te mets en marche en examinant les alentours, commerces miteux fermés, logements qui confinent aux taudis, lumières blafardes aux fenêtres, rues tranquilles même si on est samedi, quelques piétons à l'occasion qui ne t'accordent pas même un regard, dix minutes, puis quatre personnes, hommes et femmes, petit groupe devant un bar, tu t'approches d'eux en les fixant d'un air effronté, ils te voient, ils s'éloignent, ils entrent dans un appartement, tu as une moue déçue, considères un instant la porte du bar pourri puis poursuis ta route, cinq minutes, deux gars au loin s'échangent quelque chose en jetant des regards furtifs autour d'eux, tu t'approches à nouveau, mais ils s'éloignent à ton approche, tu es de plus en plus excédé, poursuis ta route, croises à nouveau quelques piétons indifférents que tu dévisages avec insistance sans rien provoquer chez eux, puis tu t'arrêtes en plein milieu de la rue déserte, mains sur les hanches, tête penchée sur le côté, exactement la pause que tu as adoptée ce matin sur la galerie d'Andréane, et tu attends, tu attends, puis des bruits, des sons, une altercation pas très loin, vers ce magasin de vêtements, tu marches dans cette direction, les voix proviennent de l'arrière, tu contournes le magasin, l'arrière est à peine éclairé par l'ampoule d'une galerie au second étage, mais tu devines des silhouettes, elles sont cinq, et elles s'engueulent, entre deux murs du bâtiment, tu es à quelques mètres de la scène et tu les observes avec intérêt, tu finis par comprendre qu'il s'agit de trois Latinos qui se disputent avec deux Blancs, ils parlent de drogue, de tarif, ils sont jeunes, vingt ans maximum, et il y a une fille avec les Blancs qui se tient un peu à l'écart, silencieuse, effacée, alors l'un des Latinos te voit enfin et te demande ce que tu fous là, les gars arrêtent de parler, les gars t'observent, mais les gars ont l'air d'avoir un peu peur, alors tu réponds brièvement, tu dis que tu défies la logique, le Latino qui t'a interpellé s'approche enfin et les autres l'imitent, ils en ont oublié leur propre conflit, la fille aussi fait quelques pas, cette fille que tu examines avec attention, cette fille qui est encore une adolescente de quinze ou seize ans, jolie mais l'air complètement blasée, et malgré toi tes yeux s'emplissent de désespoir, et malgré toi tu marmonnes des mots que

— *Est-ce que Béatrice aurait viré comme toi, plus tard ?*

tu sembles aussitôt regretter car tu frottes furieusement ton visage, tu reviens à la bande, surtout au Latino maintenant tout près, ses *pins* dans le nez et les sourcils, son blouson de cuir élimé, ses cheveux courts dressés par le gel, son regard qui se veut menaçant mais qui suinte encore l'enfance, il te demande si tu cherches le trouble, et tu hausses les

épaules, tu dis que peu importe ce que tu cherches, tu
ne le trouveras peut-être pas, ce qui est supposé d'arriver n'arrive pas nécessairement, et d'autres phrases du

— *Comme la nuit passée... Comme ce soir... Comment savoir ?*

même genre, les autres gars se regardent d'un air dubitatif, et le Latino près de toi sort alors un revolver de
la poche de son blouson, le Latino pointe l'arme à
environ cinquante centimètres de ton visage, le Latino
dit que tu serais mieux de foutre le camp et vite, mais
il est nerveux, mais il tremble un peu, et toi tu fixes
l'arme un moment, sans aucune réaction, tu articules
que logiquement tu devrais te sauver, bien sûr, mais
comme la logique est inutile, que va-t-il finalement
arriver, les gars ne comprennent rien, nervosité, ten-
sion, le Latino armé relève le chien du revolver, s'humecte les lèvres, te répète de déguerpir, alors tu
attrapes le poignet de la main armée, alors tu l'attires
vers toi, jusqu'à ce que le bout du canon se fixe contre
ton front, et le Latino écarquille les yeux, ses yeux
dans lesquels éclate l'épouvante, et il bredouille qu'il
va tirer si tu ne le lâches pas, oui, il va tirer, tu entends,
il va te flinguer, mais sa voix est dénuée de conviction,
la peur prend trop de place, alors tu serres le poignet
encore plus fort, le Latino couine de douleur, lâche
l'arme qui rebondit sur le sol, et c'est la débandade, le
sauve-qui-peut général, y compris la fille, y compris
le Latino qui te menaçait, ils détalent, ils disparais-
sent dans la nuit, tu perçois un ou deux « ostie de
malade » lointains, puis le silence, l'arme sur le sol
qui brille sous la lumière de l'ampoule, la curiosité

dans ton regard, tes mains qui ramassent le revolver,
ton examen attentif de l'arme, le barillet que tu finis
par ouvrir, deux chambres sur six contiennent une
cartouche, et cette constatation provoque un éclair
dans ton regard, une illumination soudaine, tu fais
alors tourner le barillet, le refermes, relèves le chien et
appuies l'extrémité du canon contre ta tempe, et tu
retiens ta respiration, et tu n'hésites pas, et tu appuies
sur la détente, un déclic, c'est tout, pas de coup de feu,
alors tu observes le revolver avec satisfaction, le glisses
maladroitement dans ton pantalon, sous ton manteau, puis te remets en marche, retour dans la rue,
quinze minutes, tu es sorti du quartier, soixante-
quinze minutes, tu passes devant le *fast-food* où tu as
laissé ta voiture l'autre soir, tu constates qu'elle y est
toujours, tu poursuis ta route, vingt-cinq minutes, tu
reconnais ton nouveau quartier, tu trouves un dépanneur ouvert, tu t'achètes une bouteille de mauvais vin,
le vendeur au comptoir t'annonce le prix, tu le fixes
longuement, tu diriges ta main vers ton pantalon, vers
le revolver, mais finalement tu sors de l'argent et tu
paies, tu constates qu'il te reste environ cinquante dollars, dehors, banque, guichet automatique, tu insères
ta carte mais un message annonce que tu ne peux rien
retirer à partir de ce compte, tu consultes un autre
compte, même message, tu fixes longuement l'écran,
tu insères ta carte de crédit, tentes d'avoir une avance
de fonds, mais un message précise que cette carte n'est
plus valide, tu soupires, sors, cherches une autre
banque, essaie dans un autre guichet, même manège,
même refus, tu serres les dents, donnes un coup de

poing sur l'écran qui fendille, tu te fais mal à la main,
juste un peu, tu sors, dehors, cinq minutes, ton
immeuble, l'escalier, porte de ton appartement, tu
ouvres, viens pour entrer mais jettes un œil vers l'escalier, vers les marches qui montent à l'étage, tu te mordilles les lèvres, je suis sûr qu'une partie de toi a envie
de monter, mais finalement tu entres chez toi, déposes
le revolver sur la table de la cuisine, puis rien, hésitation, réflexion, puis tu grimaces comme si tu te trouvais ridicule et tu sors de chez toi, bouteille en main,
tu montes l'escalier, il est onze heures mais il y a
encore de la lumière sous la porte, tu frappes, Mélanie
vient t'ouvrir presque aussitôt, Mélanie n'est pas en
pyjama, elle est toujours habillée, Mélanie est contente,
rassurée, Mélanie t'offre d'entrer et tu obéis comme
un chien un peu piteux, vous vous retrouvez au salon,
la bouteille de vin est ouverte, vous buvez chacun un
verre, la télévision est allumée mais vous n'y faites pas
attention, puis Mélanie te demande si demain tu veux
revenir à la Maison des jeunes, pour te donner une
seconde chance, et toi tu ne réponds rien, tu examines
à nouveau la décoration modeste, les couleurs pastel,
les cadres toujours au sol dans le coin de la pièce, et
Mélanie répète sa question, tout à coup tu lui demandes si elle peut te prêter un peu d'argent, elle
paraît surprise, tu expliques que tes comptes bancaires
sont bloqués, ta carte de crédit aussi, comme tu ne
donnes aucune nouvelle à personne depuis trois jours,
comme tu dois du fric au salon funéraire, ta famille a
sans doute demandé à la police de bloquer tes comptes
pour t'obliger à te manifester, ils savent sans doute

que tu es à Montréal puisque tu as payé des DVD avec ta carte de crédit et ils t'imaginent en état de choc en train d'errer, convaincus que l'absence de fonds te fera revenir rapidement, Mélanie t'écoute, jambes repliées sous elle, verre à la main, puis elle dit qu'ils n'ont pas tout à fait tort de croire ça, alors tu t'irrites, ce n'est pas ça du tout, elle n'a rien compris, tu n'es pas en état de choc, tu n'erres pas, tu es en guerre, et Mélanie te demande en guerre contre qui, mais tu ne réponds pas, tu termines ton verre, tu t'en remplis un autre, Mélanie te fait remarquer que tu pourrais aller payer l'argent que tu dois, rassurer tout le monde, puis expliquer que tu ne veux plus avoir de nouvelles de personne, et ce serait tout, tu pourrais revenir ici, mais tu t'impatientes, et en parlant tu te

— *Je veux pas retourner là-bas, même pour quelques heures ! Pis je veux revoir personne ! Personne !*

donnes des petits coups de poing sur la cuisse, et tu termines ton verre, puis te calmes, lui demandes si elle va prévenir les flics, elle répond que non, avec son sourire doux et triste, répète avec compassion qu'elle veut t'aider, tu soutiens son regard, puis tes lèvres bougent, s'étirent, forment quelque chose qui ressemble à un sourire, je ne suis même pas sûr que tu t'en rends compte, et le visage de Mélanie s'illumine comme si elle venait de recevoir un cadeau de Noël, mais elle devient sérieuse, explique qu'elle ne peut pas vraiment te prêter d'argent, qu'elle vit sur le bien-être social depuis qu'elle a perdu son emploi de caissière il y a six mois, elle baisse alors les yeux, admet qu'elle menait une vie éparpillée,

souvent sur le party, totalement irresponsable, collec-
tionneuse d'amants, et tout à coup tu l'écoutes vraiment attentivement, mais elle se tait rapidement, la
tête basse, gênée, tu fixes alors ton verre que tu roules
entre tes paumes, ton visage est grave, quelque chose
se fige, se suspend, vibre, et lorsque tu parles ta voix
est un

— *Si tu me racontes ton histoire, je vais aussi te dire
ce qui m'est arrivé...*

marmonnement, elle garde les yeux baissés, tour-
mentée, ses longs cheveux retombant de chaque côté
de son visage, puis elle redresse la tête et te demande à
nouveau si tu vas venir demain, tu termines ton verre
d'un trait et le remplis à nouveau, ce changement de
sujet te rend bourru, tu grommelles que tu ne crois
pas, tu fais mine de te lever pour partir mais elle
indique la télé du doigt, où un film de Hitchcock commence, elle dit qu'elle adore ces vieux trucs, elle t'invite à rester pour le regarder avec elle, elle insiste, ses
grands yeux, son sourire doux et triste, et toi tu la
regardes, tu conserves ton air rancunier, et pourtant
tu te rassois, et pendant une demi-heure vous regar-
dez le film en silence, tu bois seul, ton regard est lointain, peu attentif au film, et parfois tes yeux scintillent
de rage, et parfois ils s'emplissent d'une infinie détresse,
et parfois ils sombrent dans l'abîme, puis tu finis par
te rendre compte que Mélanie s'est endormie, tu te
lèves, tu l'observes longuement, ton regard admire son
corps, ses jambes bien moulées dans son jeans, son
visage joli mais triste même dans le sommeil, puis tu
finis par marcher vers la porte, la bouteille à moitié

vide en main, ton appartement, ton divan, seul, tu bois
le reste de la bouteille, puis tu ne fais rien un moment,
alors tu enfiles ton manteau, glisses le revolver sous
ton pantalon, sors, marches jusqu'au *Losange*, une
heure trente du matin, deux clients seulement, deux
hommes qui parlent à une table, Guylaine a été remplacée par un barman au visage stupide et antipathique,
brève déception sur ton visage, tu vas t'asseoir seul à
une table, six bières, deux heures quarante-cinq, il ne
reste que toi dans le bar, le barman lit une revue de
jeux vidéos, tu joues avec le revolver une ou deux fois
sous ton manteau mais tu ne le sors pas, tu regardes
dehors par la fenêtre, tout à coup tes yeux s'emplissent
de larmes, et tu te mords les lèvres pour ne pas pleurer,
et tu frappes sur la table pour ne pas pleurer, et tu
grinces des dents pour ne pas pleurer, et lorsque le barman te lance mollement que c'est le *last call*, tu te lèves,
tu paies et tu sors du bar, tu chancelles dans la rue, tu
stoppes, tu sors le revolver, un piéton là-bas, plus loin,
tu ouvres le barillet qui renferme deux balles, fais tourner le barillet, refermes le barillet, puis lèves l'arme
vers le piéton, tu le pointes longuement, et lui marche
sans se douter de rien, traverse une intersection, disparaît, puis une voiture passe, tu la vises aussi jusqu'à
ce qu'elle soit trop loin, puis tu vises une fenêtre, puis
finalement le ciel, tu le pointes très longuement tandis qu'un gémissement brisé, à peine audible, s'écoule
de tes lèvres telle une morve impossible à contenir,
puis tu rabaisses ton arme, puis tu marches vers ton
immeuble, puis tu montes, tu entres, te couches dans
ton lit, tout habillé, face tournée vers le plafond, et tu

diriges le canon de l'arme vers ta tempe, mais tu n'appuies pas sur la détente, mais tu ne bouges plus, mais tu ne fais rien, et tu finis par t'endormir dans cette position, tu rêves d'Andréane, de ses cris, de sa terreur, de la table qui tombe sur son visage, et tu rêves de moi aussi, mais de manière confuse, puis des coups à la porte te réveillent, c'est le matin, le revolver gît sur le sol, tu as un mal de tête terrible, tu demeures couché pendant au moins dix minutes, puis tu te lèves péniblement, les coups à la porte ont cessé depuis longtemps mais tu y vas tout de même, ouvres la porte, un billet par terre, c'est Mélanie, elle écrit qu'elle est venue frapper chez toi mais que tu n'as pas répondu, elle a inscrit l'adresse de la Maison des jeunes, elle t'invite à venir la rejoindre là-bas, tu glisses le papier dans ta poche distraitement, il est neuf heures dix, tu vas aux toilettes, remplis un verre d'eau mais à la dernière minute, tu décides de ne pas le boire, puis tu te regardes dans le miroir de la salle de bain, tes cheveux sont gras, ta barbe assez longue pour qu'on y distingue les nombreux poils gris, tes vêtements crasseux et tachés à quelques endroits, tu te sens sous les bras, tu respires l'odeur de ta chemise, tu grimaces de dégoût et pourtant une certaine satisfaction se dégage de toi, tu vas au salon, bottes, manteau, revolver, dehors, il neige, les voitures roulent lentement, tu vas au resto le plus près, tu avales trois muffins et deux cafés, il n'y a que trois autres clients dont deux lisent le journal, une idée semble te traverser l'esprit, tu vas chercher un journal, reviens à ta table, le feuillettes et finis par trouver, page sept, un article pas très long, on explique que tu as disparu, qu'on t'a vu pour la dernière fois au salon funéraire, il y a même une petite photo de toi, souriant, tu y es à peine reconnaissable, mais lorsque l'article commence à relater la *tragédie,* tu t'arrêtes et refermes le journal brusquement, puis tu observes les deux autres lecteurs de journaux, personne ne fait attention à toi, tu fouilles dans tes poches, un billet de vingt dollars et quelques pièces, tu marches vers la sortie, la fille au comptoir te hèle pour que tu paies mais tu ne te retournes même pas et sors, la neige est plus dense, le vent plus fort, les piétons relèvent leur col de manteau pour se protéger et tu fais de même, longue marche, soixante minutes, tu es devant le duplex où habite Sylvain, tu lèves ton visage fouetté par la neige vers l'appartement, embêté mais résigné, alors tu montes l'escalier, tu sonnes à la porte, Sylvain ouvre, Sylvain est pétrifié de stupeur, Sylvain a la bouche grande ouverte, et toi tu ne fais rien, ne dis rien, attends, les mains dans les poches, enfin Sylvain te balbutie d'entrer, tu obéis, enlèves ni bottes ni manteau, te retrouves dans le salon-salle à manger et tombes sur une belle fille dans la vingtaine, assise à table, en train de déjeuner, elle porte la robe de chambre de Sylvain, elle te salue timidement, et tu reconnais la fille de l'autre jour, quand tu étais venu apprendre la nouvelle à ton ami, et de la revoir une seconde fois t'étonne, mais Sylvain s'approche de toi, Sylvain te prend par les épaules, Sylvain te demande où tu étais, tout le monde te cherche, tout le monde s'inquiète, et toi tu le laisses parler et quand il reprend son souffle, tu articules que tu n'as vraiment pas envie d'être ici, d'être dans cet appartement, d'être devant lui, et Sylvain en demeure interloqué, puis se souvient enfin de la présence de la fille, te la présente bêtement, elle s'appelle Sarah, et elle, en entendant ton nom, affiche un visage dégoulinant de compassion, comme si elle savait qui tu étais, tu la toises de haut en bas puis demandes à Sylvain depuis quand il garde ses maîtresses à déjeuner, Sarah est embarrassée, Sylvain tique un peu mais ne bronche pas, continue à te demander où tu étais, ce que tu as fait, et il tente de te convaincre de rappeler ton frère, ton beau-frère, ton magasin, tout le monde, car tout le monde s'inquiète, il le répète encore et encore, il est vraiment bouleversé, dit que tu dois te reprendre en main et t'assure qu'il va t'aider, et toi tu l'écoutes en le scrutant comme s'il s'agissait d'une créature d'une autre planète, comme s'il s'adressait à toi dans un langage inconnu, alors tu l'interromps, précises que tu es venu ici uniquement parce que tu as besoin d'argent, mais il ne comprend pas, tu as pourtant plus d'argent dans ton compte de banque que lui n'en gagnera jamais en un an, alors tu t'impatientes, expliques qu'on a bloqué tes comptes, et Sylvain dit que c'est normal, puisque tu es en fuite, mais il ne termine pas sa phrase, tu cries que tu n'es pas en fuite, court silence empli de malaise, puis Sylvain te prend à nouveau par les épaules, tu te raidis sous ce contact désagréable, il change de tactique, t'ordonne de t'asseoir, te dit que vous allez parler tous les deux, que rien ne presse, mais tu te dégages en affirmant que tu ne veux pas, tu ne veux écouter personne, tu ne veux plus de famille, de parents et d'amis, et tu sues sous ton manteau, et tu soupires, et tu t'éloignes de quelques pas, Sylvain est confus, Sylvain dit qu'il est là, lui, qu'il est toujours ton ami, mais tu rétorques que non, c'est fini ça aussi, tu répètes que tu trouves ça affreusement pénible de te retrouver ici, tu n'es venu que pour l'argent, point final, alors Sylvain change d'expression, désespoir et frustration, il met ses mains sur ses hanches et te demande si tu crois que lui ne préviendra pas les gens, la police, ta famille, pour leur dire que tu es ici, en Ville, que tu l'as contacté, tu t'embrouilles, tu grattes ta tête qui te démange comme si ton cuir chevelu couvait des colonies de fourmis, tu grognes que tu t'attendais à ce qu'il ne parle de ta visite à personne, il a un ricanement amer, te demande en vertu de quoi, mais tu ne sais pas quoi répondre, te contentes de te gratter la tête, ta foutue tête, et Sylvain, rendu furieux par la déception et l'impuissance, te relance, te demande à nouveau en vertu de quoi, sûrement pas de votre amitié puisque tu n'en veux plus, alors en vertu de quoi, calice, de quoi, et toi tu grimaces, tu sues de plus en plus, concèdes qu'il a raison, que tu n'aurais jamais dû venir ici, fais mine de partir, mais Sylvain t'agrippe le bras, Sylvain n'est déjà plus en colère, Sylvain s'adresse à toi sur le ton de la détresse, il comprend ta confusion, ta révolte, mais elles sont absurdes, elles ne donnent rien de bon, et ses mots

— *Tu veux plus t'attacher à rien, tu veux plus dépendre de rien ni devoir rien à personne, mais ça marche pas, voyons ! La preuve, c'est que t'as besoin d'argent ! Tu vois ben que tu peux pas te crisser de tout, c'est pas possible !*

te font gémir, comme si chaque syllabe te coupait la peau, tu te dégages d'un geste brusque et tout à coup Sarah s'en mêle, Sarah propose doucement que tu écoutes ton ami, alors tu la fusilles du regard en lui intimant de se mêler de ses affaires, tu reviens à Sylvain et lui demandes depuis quand il parle de toi à ses maîtresses, malaise de Sylvain, puis il te révèle que Sarah n'est pas une amante, Sarah est sa blonde, ils sortent ensemble depuis environ une semaine, mais il ne t'en a pas parlé il y a six jours, ce n'était vraiment pas le moment, mais toi tu es abasourdi d'apprendre cette nouvelle, scié, estomaqué, alors tu émets le plus noir et le plus ironique des ricanements, sans cesser de te gratter le

— *Alors même toi! Même toi!*

cuir chevelu que tu sens saigner légèrement sous tes ongles, Sylvain te demande doucement de te taire, il dit que c'est toi qui es en train de se faire avoir, par ta rage, par ton désespoir et ta colère, mais tu ne l'écoutes pas, tu demandes à Sarah si elle sait à quel point son nouvel amoureux était *womanizer,* qu'il baisait à gauche et à droite sans jamais s'attacher, Sylvain te répète de te taire et son agacement monte tandis que l'embarras de la fille s'accentue, mais tu continues, sait-elle aussi que son ordinateur est rempli de filles à poil, de photos de partouze, sait-elle qu'il fume du pot presque tous les jours, qu'il sniffe de la coke à l'occasion, qu'il lui arrive d'appeler des escortes quand il en a les moyens, c'est-à-dire environ trois ou quatre fois par année, et Sylvain qui te crie d'arrêter, et toi qui te diriges vers son bureau, qui ouvres un tiroir que tu connais bien, qui en sors un petit sac rempli de poudre blanche que tu lances vers Sarah, maintenant

Sylvain serre les poings, maintenant il vocifère que ça suffit, maintenant il te crache de sortir, et au même moment Sarah baisse la tête, se masse le front et marmonne deux mots qui

— *Mon Dieu...*

te font perdre le contrôle, qui te poussent à lui hurler de ne pas dire ça, qui t'amènent à lui balancer une baffe en plein visage, alors Sylvain se jette sur toi, tu le repousses facilement, il vole contre le mur, se secoue une seconde puis attrape son téléphone, ses mains tremblent, sa voix vacille, il va appeler les flics, il n'a pas le choix, tu as besoin d'aide, et soudain tu sors ton revolver, le braques vers Sylvain qui fige, louche littéralement vers l'arme, le téléphone immobilisé près de son oreille, et tu halètes avec tant de force que tu n'entends même pas la fille qui pleurniche, Sylvain dépose lentement le téléphone, effrayé, incrédule, il bredouille que tu es devenu fou, il t'implore de te calmer, mais toi tu avances lentement, respiration sifflante, visage couvert de sueur, lèvres tordues en une mimique affreuse, voix

— *C'est le chaos, Sylvain... Pis t'arriveras pas à le fuir... Jamais...*

rauque, très rapidement tu ouvres le barillet, très rapidement tu le fais tourner, très rapidement tu le refermes, et tu vises Sylvain à nouveau, qui suffoque de terreur, le canon à soixante centimètres de son visage, et ta voix n'est maintenant

— *Le chaos pis le hasard... Le reste existe pas...*

que les vestiges d'un souffle, et tu appuies sur la détente, le clic du percuteur se mêle au cri de Sylvain, au hurlement de Sarah, puis Sylvain tombe à genoux, Sylvain penche sa tête jusqu'au sol, Sylvain éclate en sanglots, et Sarah se précipite vers lui pour l'enlacer, pour le bercer, pour pleurer avec lui, et toi tu les regardes, collés l'un sur l'autre, en larmes tous les deux, et tu fronces les sourcils, et ta lèvre inférieure se met à trembler, et un haut-le-cœur se saisit de toi et tu vomis brusquement sur le tapis, un seul jet puissant et répugnant, aucune réaction du couple en pleurs, tu essuies ta bouche d'une main tremblante, tu remets l'arme dans ton pantalon, tu sors rapidement de l'appartement, tombes presque dans l'escalier tant tu es agité, il neige toujours abondamment, tu t'engages sur le trottoir en titubant, t'arrêtes, te frottes les yeux avec force, pousses un long râle sifflant, mais tu te remets en marche, contre le vent qui balaie tes cheveux sales, intersection, rue commerciale mais plutôt abandonnée en ce moment à cause de la température, un taxi finit tout de même par passer, tu montes à l'arrière, le conducteur te demande où on va, tu ne dis rien pendant quelques secondes, hébété, tétanisé, le conducteur répète sa question, tu te réveilles enfin, fouilles dans ta poche, le papier de Mélanie, l'adresse inscrite dessus, vingt minutes, arrêt devant la Maison des jeunes que tu peines à reconnaître au milieu du rideau de neige qui tombe perpétuellement, la course coûte vingt-trois dollars, tu donnes ton vingt dollars au conducteur, expliques que tu n'as que ça, le conducteur s'objecte, commence à rechigner, mais tu lui cries que tu n'as rien d'autre, le conducteur bégaie que c'est OK, tu sors enfin, montes la pente, entres dans la maison, te retrouves dans la même salle qu'hier, cinq personnes s'affairent, travaillent, tu aperçois Mélanie au fond, montée dans un escabeau, en train de peindre un contour de porte avec minutie, si concentrée qu'elle ne te remarque même pas, tu l'observes un moment, fasciné, puis tu montes en vitesse l'escalier, croises deux ou trois personnes, entres dans le bureau du père Léo, le prêtre est là, penché sur des papiers quelconques qu'il étudie avec attention, il te reconnaît aussitôt, sourit gentiment, te demande comment tu vas, mais toi tu lui demandes d'une voix dure, pleine d'une incompréhensible rancœur, pourquoi tous ces gens viennent ici, pourquoi ils se joignent à ce groupe, et lui te répond doucement que le point commun de ces gens est la souffrance, mais cette réponse t'énerve, tu demandes de quoi ils souffrent, tu demandes ce qui leur est arrivé, le père Léo croise ses mains devant lui, il explique que personne ici ne sait rien des souffrances des autres, il indique de la main les travailleurs qui circulent à

— *Ce n'est pas un groupe de discussion et d'échange, c'est un groupe d'action. Les gens qui se joignent à nous n'ont pas à expliquer pourquoi ils souffrent. Ça n'a pas d'importance. L'important est de poser des gestes pour compenser cette souffrance. Car on se définit par ce que l'on fait, et non par ce que l'on dit.*

l'étage, et toi tu l'observes un moment avec scepticisme, toujours insatisfait, toujours tourmenté,

puis tu descends l'escalier, retour à la salle, Mélanie
toujours concentrée sur son travail, tu l'observes de
loin, ton visage est d'abord confus, comme sur le point
de se fissurer, de craquer pour laisser surgir quelque
chose, mais finalement tes traits se durcissent et tu
tournes les talons, le père Léo est là, il est descendu, il
t'a suivi, il te regarde, tu passes devant lui et tu lui
craches ces mots sans

— *Votre patron est un menteur pis un crosseur.*

                    t'arrêter, lui ne réagit pas mais
une lueur de compassion traverse son regard, tu t'empresses de sortir, dehors c'est maintenant la tempête,
tu te mets en marche, les yeux pleins de neige, te
retrouves sur une grande rue, un dépanneur tout près,
tu entres, aucun client, le commis lève à peine les yeux
de son *iPhone*, tu localises rapidement une caméra
de surveillance derrière le comptoir, tu sors immédiatement, quinze minutes de marche avant de tomber
sur un autre dépanneur, tu entres, l'intérieur est
minuscule, un seul client qui est en train de payer au
comptoir, tu cherches une caméra des yeux et n'en
trouves pas, tu t'approches du comptoir, l'autre client
sort enfin, le vendeur asiatique te sourit, tu sors ton
revolver, le pointes, demandes tout l'argent de la caisse,
le vendeur est nerveux mais demeure en contrôle, il
s'empresse de te donner tous les billets de sa caisse,
tu les enfonces pêle-mêle dans les poches de ton manteau, puis tu fixes le commis, tu le vises toujours, tu
hésites et finalement tu le frappes avec la crosse, il s'ef-
fondre au sol, gémit, à moitié assommé, tu t'empresses
de sortir, tu marches dans la tempête jusqu'à ce que tu

trouves un taxi, durant le trajet tu comptes l'argent, 140 dollars au total, le taxi s'arrête devant *Le Losange*, tu paies, sors, entres dans le bar, Guylaine est derrière le comptoir et cette fois elle semble te reconnaître, elle te lance même que tu ressembles à un bonhomme de neige, une seule cliente, une femme dans la cinquantaine qui joue à la machine à poker au fond de la salle, tu vas t'asseoir près d'une fenêtre, la serveuse s'approche, tu commandes une bière, voix bourrue, Guylaine s'éloigne, alors tu réfléchis, tu as l'air embêté, comme si tu voulais te convaincre que ce que tu allais demander n'était pas une bonne idée, Guylaine revient avec la bière, tu lui demandes alors ce qui est arrivé à Mélanie, la serveuse ne comprend pas, tu essaies d'être plus précis, tu sais que quelque chose de terrible est arrivé à Mélanie récemment, mais tu ne sais pas quoi, Guylaine est étonnée, elle ne sait pas non plus, elle précise que Mélanie lui a toujours donné l'impression d'être une fille malheureuse, elle qui venait ici tous les soirs, souvent pour se soûler, mais si quelque chose de grave lui est arrivé récemment, ça expliquerait pourquoi elle ne vient presque plus depuis une semaine, puis elle retourne à son bar, et tu bois en regardant dehors, et tu fixes le vide, et tu sembles aux prises avec des idées contradictoires, des pensées déchirantes, et les heures passent, et tu bois, bière, shooter, deux autres clients qui font leur apparition, qui vont s'installer ensemble dans un coin, et la noirceur qui envahit les rues peu à peu, la tempête qui se poursuit, Guylaine t'apporte ta neuvième bière, alors tu lui attrapes le bras, tu lui demandes ce que tu vas faire, elle sursaute, ne comprend pas, et toi tu insistes, la voix pâteuse et

— *Je fais quoi, là ? Je reste ici pis je bois jusqu'à ce que j'aie plus une cenne ? Je sors pis je tire sur quelqu'un au hasard ? Je me crisse en bas d'un pont ? Je fais quoi, ostie !*

brisée, Guylaine veut se dégager, un début d'affolement dans le regard, et à ce moment tu vois Mélanie par la fenêtre, au centre de la tempête, qui traverse la rue, marche vers son immeuble, alors tu te lèves, tu te mets à frapper dans la fenêtre, tu frappes si fort qu'elle se retourne enfin, se protège le visage de la neige, te reconnaît, mais Guylaine en a assez, elle te dit que tu devrais peut-être partir, Mélanie entre déjà dans le bar, tu te diriges vers elle, ta démarche est vacillante, tu fais de grands gestes théâtraux avec tes bras, tu lui demandes avec ironie si elle a encore passé la journée à rénover cette foutue maison, à accomplir des bonnes actions, à se faire croire que la vie a du sens, les trois autres clients te regardent avec embarras, Mélanie t'observe t'approcher, tu t'arrêtes tout près d'elle, puis elle te répond, sans aucune trace d'ironie ou de

— *Je suis contente de ma journée. Je sens que j'ai fait quelque chose de bien. Ç'a en masse de sens pour moi, ça.*

moquerie, tu soutiens son regard mais tu ne trouves rien à répliquer, tu te mords les lèvres, tout à coup tu vas chercher ton manteau, tout à coup tu marches vers la sortie, et derrière toi la voix douce de Mélanie, qui te dit qu'elle est là, qu'elle sera toujours là, peu importe ce que tu feras, tu te tournes vers elle, son calme, sa certitude, son regard plein de compassion, tout cela te rend si furieux que tu donnes un coup de pied sur une chaise avant de sortir, dehors, la tempête fait rage, tu cherches encore un taxi en maugréant, en titubant, en jurant après tout le monde et personne, tu en trouves un, donnes l'adresse de la Maison des jeunes, le conducteur semble inquiet de ton état, mais il ne dit rien et se met en route, il tente de te parler de la température, mais tu ne réponds rien, yeux fous fixés sur tes pieds, mains tremblantes entre tes genoux, veine palpitante à ton front, arrêt à destination, tu sors un billet de vingt et un de dix que tu lances au conducteur, sors, montes péniblement la petite pente couverte de neige qui conduit à la porte d'entrée, glisses, tombes, te relèves, tu tournes le bouton de la porte, elle s'ouvre, une seconde de stupeur, comme si tu t'attendais à ce qu'elle soit verrouillée, puis tu entres, salle vide mais lumières allumées, peinture terminée, décoration avancée, tu déambules dans la salle, tournes en rond, vacilles, regardes tout de tes yeux dingues, outils, planches, pots de peinture, radio CD, paquet de cigarettes qui traîne, vieux papiers journaux, manteau oublié, murs frais peints, nouveaux meubles, et tes yeux brillent de haine, et tu ramasses un marteau appuyé contre le mur, et tu commences à frapper, contre les murs, sur les meubles, tu brises, tu défonces, tu pulvérises, tu pousses des cris à chaque coup, au point que tu n'entends pas les sons en provenance de l'étage et de l'escalier, trop emporté par ta furie, et tu

frappes, et tu frappes, et tu figes brusquement en aper-
cevant la silhouette dans le cadre de la porte qui com-
munique avec le couloir, c'est le père Léo, une main
contre le chambranle, l'autre le long du corps, le père
Léo qui te regarde en silence, le père Léo qui paraît
tout à coup très vieux, et la seule émotion qui émane
de son visage est la déception, rien d'autre, et toi tu
halètes, tu dégoulines de sueur et de neige fondue,
silence, hululements de la tempête, puis le prêtre te
demande ce que tu fais là, alors tu lâches le marteau,
enfouis ta main sous ton manteau, sors le revolver, et
tout en ouvrant le barillet, tout en le faisant tourner,
tout en le refermant, tu réponds d'une voix presque
hystérique que tu es l'instrument du chaos, et tu lèves
l'arme, et tu vises le prêtre, ta langue qui humecte tes
lèvres plusieurs fois, ton bras qui vacille sous l'effet
de l'alcool, tes dents qui se serrent jusqu'à craquer,
mais le père Léo ne bouge pas, garde sa main contre
le chambranle, n'a aucun regard pour l'arme, il te
regarde toi, oui, toi, et sa voix se fait très lente, très,
très

— *Non, vous n'êtes pas l'instrument du chaos. Vous
le créez. C'est totalement différent.*

lente, alors tu appuies sur la détente, une explo-
sion assourdissante, dans la pièce, dans ta tête, partout, ton bras littéralement propulsé vers l'arrière,
éclair de souffrance dans ton épaule droite, deux ou
trois secondes de confusion, puis tu réalises que le
père Léo n'est plus debout, qu'il est étendu sur le sol,
tu clignes des yeux, puis tu t'approches, la tache de
sang qui s'agrandit sur sa chemise blanche au niveau

du plexus solaire, ses yeux ouverts qui fixent le plafond, sa main gauche qui s'ouvre et se ferme sur le plancher, sa respiration rocailleuse de plus en plus faible, dix secondes, vingt secondes, puis le prêtre n'émet plus aucun son, le prêtre ne bouge plus, le prêtre est mort, toi tu le dévisages en silence, et peu à peu un rictus déforme ton visage, un épouvantable mélange de haine, de satisfaction et de désespoir, alors tu retournes au milieu de la salle, reprends le marteau et recommences à frapper partout, en poussant cette fois non des cris mais des sons rauques, sortis d'une noirceur de laquelle rien d'humain ne peut surgir, alors tes yeux fiévreux tombent sur le paquet de cigarettes au sol, tu lâches le marteau, tu ramasses le paquet de cigarettes et l'ouvres, un carton d'allumettes à l'intérieur, rapidement tu allumes plusieurs allumettes, tu les lances dans tous les tas de papiers et de bran de scie que tu vois, cinq ou six petits foyers s'allument dans la salle, tu marches vers la porte de sortie, tu l'ouvres, tu distingues une voiture stationnée dans la rue juste en face, j'imagine que tu ne l'avais pas remarquée tout à l'heure, alors tu retournes dans la maison, à deux endroits le feu a commencé à se propager, tu enjambes le cadavre du prêtre, montes rapidement l'escalier, entres dans le bureau, fouilles dans le manteau du père Léo, trouves les clés de sa voiture, puis tu ouvres le premier tiroir du bureau, puis le second, tu y déniches environ cent dollars, tu les prends, redescends, enjambes à nouveau le père Léo que, cette fois, tu regardes brièvement, puis tu traverses la salle déjà pleine de fumée, ton revolver, où est

ton revolver, tu tournes sur toi-même, tousses, craches,
là, il est par terre juste là, tu vas le chercher, le ranges
dans ta poche de manteau, enfin dehors, tu dévales
la pente en toussant, montes dans la voiture du père
Léo et démarres, ton ivresse rend ta conduite hasar-
deuse mais les rues sont heureusement à peu près
désertes, visibilité presque nulle, dérapages, vue
embrouillée, tempête autant dehors que dans ta tête,
quinze minutes, puis tu dérapes une fois de trop, per-
cutes un poteau, tu sors, tu reconnais le quartier, tu
n'es plus très loin, alors tu cours, contre le vent, fouetté
par la neige, et tu atteins ton immeuble, et tu entres,
et tu montes en trébuchant, et tu frappes comme un
sourd contre la porte de Mélanie, elle vient t'ouvrir, et
tout à coup elle a peur, comme si en te voyant dans un
tel état elle savait ce qui allait lui arriver, alors tu la
pousses, tu entres et refermes la porte, tu prends
Mélanie par la main, tu traînes Mélanie jusque dans sa
chambre, tu pousses Mélanie sur le lit, Mélanie qui
s'affale sur le matelas, qui t'implore d'une voix affo-
lée de ne pas faire ça, et toi tu te déshabilles sans un
mot, tu es maintenant nu, tu es en érection, tu lui
ordonnes de se déshabiller, mais elle refuse, te supplie
toujours d'arrêter, il ne faut pas, non, il ne faut pas,
alors tu fonds sur elle, tu déchires ses vêtements avec
hargne, elle commence à se débattre mais tu lui
allonges un solide coup de poing sur l'œil gauche, alors
elle devient molle, elle est à moitié consciente, et tu te
couches sur elle, tu pénètres violemment son sexe sec,
cri de douleur, raidissement du corps, puis ton va-
et-vient, ton sauvage mouvement de piston, et tu

grognes, et tu meugles, mais rapidement ton sexe perd de sa vigueur, et toi tu cries de rage, tu redoubles d'ardeur et de violence, mais rien n'y fait, ton membre est maintenant trop mou pour poursuivre son outrage, alors tu t'immobilises enfin, toujours sur Mélanie qui se débat mollement, ton visage enfoncé dans le matelas à côté de sa tête, un terrible haut-le-cœur, ton estomac qui chavire, tu roules sur le côté et enfin tu sombres, les ténèbres, le néant, peut-être t'es-tu évanoui, peut-être t'es-tu endormi, peu importe, c'est la même chute, et quand tu ouvres les yeux, le soleil filtre à travers les rideaux entrouverts de la chambre, tu te redresses sur les coudes, la tête te fend de douleur, bruits en provenance de la pièce voisine, Mélanie apparaît, habillée mais pas de ses vêtements de travail, jeans propre, gilet de laine, elle dépose un plateau sur le matelas à tes côtés, rôties, café, grand verre de jus de canneberge, deux cachets, tu la dévisages stupidement, elle est debout, les mains croisées devant elle, ses cheveux attachés en queue de cheval, son œil gauche noir et enflé, aucun reproche dans son regard, aucune colère, une vague résignation dans laquelle émerge peut-être l'ombre d'un espoir, elle parle enfin, te conseille de prendre les cachets tout de suite avec le verre de jus, voix égale, sans relief, et toi tu obéis, tu avales les cachets, tu bois la moitié du verre, tu es docile, le cadran sur le bureau indique neuf heures trente, Mélanie explique qu'elle ne voulait pas te laisser seul ce matin, qu'elle ira à la Maison des jeunes cet après-midi ou demain, tu t'assois sur le matelas, tu l'examines en silence, incrédule, confus, alors elle ajoute qu'elle te l'avait bien dit, elle sera là, elle sera toujours là, peu importe ce que tu feras, peu importe ce que tu as fait, alors tu baisses la tête, tu te masses le front, et tu sembles toi-même surpris d'entendre ces mots qui

— *Je m'excuse...*

franchissent tes lèvres sèches, silence, puis un sourire discret apparaît sur le visage de Mélanie, et l'espoir dans son regard n'est maintenant plus une ombre mais une forme tangible, réelle et vivante, sonnerie incongrue, le téléphone qui sonne, Mélanie sort de la chambre, tu étudies ton déjeuner puis prends une bouchée de rôtie, mastiques avec application, tout à coup un cri de Mélanie, suivi d'une discussion agitée, puis elle réapparaît dans la chambre, bouleversée, sur le bord des larmes, elle explique à toute vitesse, c'était Guy, un des membres du groupe, la Maison des jeunes a de nouveau passé au feu cette nuit, un corps calciné a été découvert dans les décombres, peut-être le père Léo, la police ne sait pas encore, maintenant les larmes coulent, elle marche de long en large, dit que c'est terrible, affreux, ce projet était tellement important, presque terminé, et ce cadavre, Seigneur, ce cadavre, et toi tu la regardes, et toi tu es pétrifié, et toi tu n'arrives pas à avaler ta bouchée qui pourrit dans ta bouche, et pendant un bref moment Mélanie t'examine avec stupeur, comme si un sombre doute venait de lui traverser l'esprit, mais elle se secoue, affirme qu'elle veut aller rejoindre le groupe, partager sa peine avec les autres membres, elle quitte la chambre, alors tu repousses le plateau du déjeuner, relèves les genoux, les maintiens serrés autour de tes bras, ton visage se crispe, se crispe horriblement, Mélanie revient, son manteau sur le dos, l'angoisse, la peine, mais aussi une grande résolution, elle affirme qu'elle va revenir dans une heure ou deux, mais qu'elle sait déjà ce que le groupe va décider, elle n'a aucun

— *On n'arrêtera pas. On va recommencer, tout simplement. Je suis sûr que tout le monde va être d'accord. Pis même si c'est le père Léo qui est mort dans l'incendie, c'est ce qu'il aurait voulu : qu'on continue.*

doute là-dessus, et sa certitude la rend plus belle que jamais, et toi tu la fixes, la bouche entrouverte, comme si ses paroles te tétanisaient, alors tu racles ta gorge, alors tu prends une grande respiration, et ta voix

— *Si vous recommencez, je... je vais vous aider.*

tremble, comme tes membres, comme ton cœur, et Mélanie prend à son tour une grande respiration, Mélanie est émue, Mélanie hoche la tête, il n'y a plus aucune suspicion dans son regard, elle tourne enfin les talons mais tu lui lances que lorsqu'elle reviendra, tu auras des choses à lui dire, beaucoup de choses, mais elle se retourne vers toi, le visage maintenant grave, elle marmonne que tu n'as pas à te sentir obligé, tu ajoutes que tu le veux, oui, tu le veux, Mélanie n'ajoute rien, sort, claquement de la porte d'entrée qui se referme, tu demeures assis dans le lit, le visage traversé par mille émotions contradictoires, vingt minutes, enfin tu te lèves, tu grimaces un peu en faisant jouer ton épaule droite douloureuse, tu considères tes vêtements crasseux sur le sol, tu marches à la salle de bain et t'examines dans le miroir, ton regard épouvanté, alors tu ouvres la douche, te glisses sous le jet et fermes les yeux, tu laisses l'eau gicler sur toi jusqu'à ce qu'elle devienne froide, enfin tu laves ton corps, tu laves tes cheveux puis tu sors, tu observes un moment un rasoir comme si tu songeais à raser ta barbe, puis laisses tomber, tu retournes dans la chambre mais n'enfile que ton pantalon, tu fouilles dans les tiroirs de Mélanie, trouves le plus grand t-shirt qu'elle possède, il est blanc uni, tu l'enfiles, un peu serré mais ça va, tu trouves une paire de bas et les glisses à tes pieds, tu ramasses ton manteau et marches au salon pour le déposer sur un fauteuil, mais tu sembles te rappeler quelque chose, tu fouilles dans la poche et en sors le revolver, tu ouvres le barillet, il reste une balle, tu examines l'arme d'un œil aigre, puis tu le glisses sous ton t-shirt, tu enfiles ton manteau, tu sors, dehors, il ne neige plus, tu marches dans la ruelle juste à côté de l'immeuble, t'assures que personne ne te regarde, puis jettes le revolver dans une poubelle, retour dans l'immeuble, dans l'appartement de Mélanie, direction salon, tu t'assois dans un fauteuil et ne bouges plus, une heure, une longue heure, soixante minutes au cours desquelles ton visage d'abord crispé se détend, peu à peu, trait par trait, ride par ride, et à la fin du processus tu te lèves, et tu t'approches du téléphone, et tu prends le bottin téléphonique, et tu trouves le numéro du poste de police le plus près, et tu lis les sept chiffres plusieurs fois, un grand et profond soupir, ta main qui s'étire vers le téléphone, tes doigts qui l'atteignent, et au même moment l'appareil sonne, tu sursautes, recules ta main, hésites, puis oses répondre, la voix de Mélanie, elle voulait savoir si tu étais toujours là, elle est soulagée de constater que oui, elle te dit qu'elle va revenir très bientôt, elle part dans cinq minutes et elle veut être certaine que tu vas l'attendre, que tu ne

— *Attends-moi pis fais rien de... Attends-moi, OK ? Jure-le moi !*

partiras pas, tu t'humectes les lèvres, tu le lui jures, elle raccroche, tu raccroches aussi, tes yeux sur le numéro de téléphone de la police, puis tu refermes le bottin, marches dans l'appartement, regardes autour de toi, vaisselle sale dans l'évier, tu trouves du savon, laves toute la vaisselle, le visage impassible, puis tu recommences à marcher dans l'appartement, les deux cadres dans le coin du salon, tu t'approches, il y a un marteau sur le sol avec deux boîtes de clous, un crayon à mine, du ruban électrique, ton visage demeure dénué de toute expression mais quelque chose clignote dans tes yeux, comme un signal, une permission, un encouragement, alors tu prends un cadre, l'appuies contre le mur à différentes hauteurs, comme si tu essayais de visualiser à quel endroit ce serait le mieux, puis tu prends le crayon à mine, fais une marque sur le mur, déposes le cadre, ton visage est détendu, comme lorsque tu faisais du bricolage chez toi, dans ton autre vie, tu ouvres une des deux boîtes à clous, mais ceux-ci sont trop petits, tu ouvres l'autre boîte, les clous sont beaucoup plus gros, tu en prends un, attrapes le marteau de l'autre main et te redresses, tu appuies la pointe du clou sur la marque du crayon, viens pour frapper mais t'arrêtes, le visage insatisfait, comme si maintenant tu trouvais ces clous trop gros, alors tu examines le sol, pas d'autres clous, tu marches vers un placard, en tenant d'une seule main le marteau et le clou, tu l'ouvres, fouilles de ta main libre à l'intérieur, trouves une autre boîte de clous mais ils sont aussi gros que ceux que tu as en main, tu retournes au salon, ouvres le premier tiroir du bahut, farfouilles de ta main libre, rien, second tiroir, tu tombes sur un calendrier ouvert sur le mois actuel, tu le relèves de ta main libre, il n'y a que des papiers dessous, tu jettes un œil distrait sur le calendrier avant de refermer le tiroir puis tu fronces les sourcils, tu te penches pour mieux voir, une petite coupure de journal collée sur le haut de la page, un court texte contenant trois noms qui t'ont sauté au visage, alors tu prends le calendrier, tu le sors du tiroir, la coupure de journal est une petite annonce funéraire, on y lit les noms de ta femme et de tes deux enfants, l'adresse du salon, les heures d'ouverture et les dates de l'exposition, les 25 et 26 février, et tes lèvres s'entrouvrent lentement, et l'incompréhension plisse tes yeux, alors tu examines les dates sur la page du calendrier, deux ou trois trucs insignifiants sur certains jours, mais là, dans le petit carré du 21 février, cette date gravée dans ta chair, ce jour où le chaos t'a rappelé qu'il était le vrai maître, à cette date est inscrit au stylo « Party des anciens du secondaire », avec une adresse et un nom de ville, et je sais à quoi tu penses en reconnaissant le nom de cette ville, tu te dis que ça se trouve juste à côté de l'endroit d'où revenait ta

famille ce soir-là, qu'il faut prendre le même chemin
pour se rendre aux deux endroits, oui, la même route,
et ton regard saute de l'inscription au stylo à l'annonce nécrologique, et tu ne respires plus, bruit de
porte qu'on ouvre, qu'on referme, tu tournes la tête,
toujours aucune respiration, Mélanie est là, Mélanie
enlève son manteau et le pose sur une chaise, Mélanie
t'explique qu'elle avait deviné juste, qu'ils vont conti-
nuer malgré tout, en mémoire du père Léo, car le
corps calciné est sans doute le sien, et elle sourit malgré tout, elle s'approche, mais elle voit enfin le calendrier dans ta main gauche, alors elle s'arrête, alors son
sourire s'émiette, alors elle ferme les yeux, et tout s'arrête, et rien ne se passe pendant une longue minute,
puis elle relève les paupières, plante son regard dans
le tien, marche doucement vers toi, sa voix est calme
et basse, elle avait trop bu à ce party, comme elle
buvait trop depuis des mois et des mois, pour oublier
sa vie futile et vide, et elle n'aurait pas dû conduire,
surtout avec la longue route qu'elle devait faire, mais
elle était si irresponsable, elle a pris cette maudite
courbe trop à l'extérieur, trop large, elle n'a pas vu
l'autre voiture en face, elle n'a même pas vu ce qui lui
est arrivée, à cette voiture, elle était trop soûle et trop
contente de l'avoir évitée, tout comme elle n'a pas
regardé ensuite dans son rétroviseur, en tout cas elle
ne s'en rappelle pas, il faut que tu la crois là-dessus, elle
insiste, il le faut, c'est seulement le lendemain en lisant
le journal qu'elle a tout compris, et là elle a paniqué,
là elle s'est effondrée, et elle ne savait plus quoi faire,
elle a songé mille fois à prévenir la police, mais elle

n'y arrivait pas, elle n'y arrivait tout simplement pas,
elle a même sérieusement songé à se tuer, puis au bout
de deux jours elle s'est rappelé ce groupe qu'elle avait
été visiter quelques fois sans trop de conviction, le
groupe du père Léo, alors elle y est allée, tel l'enfant
perdu qui court vers la lumière, et cette fois tout a été
différent, et tout a changé, oui, tout, et en te parlant
elle s'approche, elle est maintenant tout près de toi,
vibrante de détresse et d'espoir confondus, et tu
l'écoutes sans bouger le moindre muscle, mannequin
de cire figé en une pose d'abomination, et elle continue à parler, elle a trouvé l'annonce du salon funéraire, elle y est allée, elle s'est fait discrète, et elle t'a vu,
et depuis elle ne t'a plus quitté, t'a suivi en voiture
lorsque tu t'es sauvé du salon, est entrée peu de temps
après toi au bar *Le Maquis,* t'a observé pendant que tu
étais avec Sylvain, et durant tout ce temps elle se
demandait comment elle allait bien pouvoir t'approcher, car elle avait déjà pris sa décision, mais finalement c'est toi qui l'as abordée, parce que le père Léo
avait raison, les gens qui souffrent se reconnaissent,
et tu l'as reconnue, consciemment ou non, tu as
reconnu sa propre souffrance, elle en est convaincue,
elle répète cela trois ou quatre fois, alors tu recommences enfin à respirer, un long râle profond et dou-
loureux, le calendrier glisse de ta main, ta main que
tu relèves jusqu'à tes yeux, tes yeux que tu recouvres
en serrant les dents, tes dents desquelles fusent un
sifflement d'asphyxié, mais Mélanie ne s'arrête pas,
sa main tendre contre ta joue, la fêlure dans son regard
et dans sa

— *C'était un signe, tu dois le comprendre ! Un signe que je pouvais te sauver ! Pis qu'en te sauvant, je me sauvais moi aussi ! On pouvait se sauver, tous les deux ! Crois-moi ! On peut se sauver ! On a déjà commencé, je le sais ! Pis toi aussi, tu le sais ! On a commencé !*

voix, alors tu abaisses ta main recouvrant tes yeux, tes pupilles emplies de larmes noires, tes lèvres retroussées en une grimace de souffrance indicible, ta main libre poussant doucement Mélanie jusqu'au mur tout près des étagères sur le sol, et elle se laisse faire, jusqu'à ce que son dos se plaque au mur, et dans ses yeux le malheur et l'espoir s'enroulent toujours l'un dans l'autre, jusqu'au tragique, jusque dans sa voix plus douce que

— *Je t'abandonnerai pas, je te l'ai déjà dit.*

jamais, ta respiration rauque, ta main droite qui tient toujours le clou et le marteau, alors ta main libre prend le poignet gauche de Mélanie et lentement, très lentement, tu le soulèves et le plaques contre le mur, puis tu changes le clou de main, déposes la pointe du clou contre le poignet de Mélanie, et elle ne se débat pas, ne proteste pas, elle se contente de marmonner que vous pouvez vous sauver, tous les deux, vous sauver l'un l'autre, et toi tu lèves lentement le marteau, et le sifflement qui s'échappe entre tes lèvres est maintenant un gémissement ininterrompu, un gémissement qui devient un bref cri au moment où le marteau percute le clou, et Mélanie réagit à peine, émet un simple petit hoquet de douleur, et son regard est toujours soudé au tien, et toi tu frappes encore, quatre fois, et à chaque coup jaillissent tes larmes glacées, et Mélanie ne crie toujours pas, Mélanie murmure encore et encore que vous le pouvez, oui, vous le pouvez, tu dois la croire, et lorsque le poignet gauche est bien fixé au mur, tu te penches péniblement, arroses le sol de tes larmes, ramasses un autre grand clou dans la boîte, et tu te relèves, et tu prends d'une main tremblante le poignet droit de Mélanie, et tu le soulèves jusqu'au mur, à la hauteur de ses épaules, puis tu recommences, et cette fois tes sanglots déchirent ta gorge, tu dois t'interrompre deux fois pour essuyer tes yeux embrouillés, tandis que Mélanie répète d'une voix calme mais brisée sa litanie désespérée, enfin c'est fini, le marteau qui rebondit au sol, les grandes respirations que tu avales pour faire taire tes pleurs, et la voix de Mélanie, planante et irréelle, qui refuse de se taire, qui articule que vous le pouvez, vous le pouvez, alors tu te penches, ramasses le ruban électrique, en tires une large bande et la colles contre la bouche de Mélanie, dont la voix s'étouffe enfin, tu regardes cette femme crucifiée au mur qui continue de t'implorer du regard, tu approches ton visage tout près du sien, et maintenant tu ne pleures plus car tes yeux sont deux cratères en éruption qui assècheront désormais toutes larmes, et ta voix est un croassement qui surgit du plus amer des gouffres, et tes mots

— *Vis... pis souffre.*

s'écrasent sur le visage de Mélanie, dont le regard s'emplit alors de désespoir, enfin tu t'éloignes, avec une pesanteur effroyable, tu enfiles ton manteau, fouilles dans celui de Mélanie et en sors les clés de sa

voiture, tu l'entends qui t'appelle d'une voix étouffée
à travers son bâillon mais tu n'as aucun regard pour
elle, tu sors de l'appartement en refermant lentement
la porte derrière toi, et tu descends l'escalier, oui, tu
descends, jusque dans la rue, et tu retournes dans la
ruelle, et tu trouves la poubelle, et tu reprends le revolver, et tu le glisses dans la poche de ton manteau, retour
dans la rue, le soleil plombe, la rue est dégagée et bor-
dée d'immenses tas de neige, tu trouves la voiture de
Mélanie, tu montes et tu démarres, tu roules en regardant droit devant toi, quittes la Ville par le pont sud,
te retrouves sur une route de campagne que tu n'as
jamais empruntée, quatre-vingt-dix minutes, le moteur
s'arrête, plus d'essence, tu as juste le temps de te garer
sur le bord du chemin, puis tu sors, et, sans un regard
vers l'arrière, tu te mets en marche, en marche sur cette
route, sur cette route déserte qui s'étire dans la campagne, ton regard plein de l'abîme que creuse chacun
de tes pas, et tu poursuis ta guerre

contre moi

REMERCIEMENTS

Merci à Karine Davidson-Tremblay, René Flageole, Alain Roy et Eric Tessier pour les commentaires.

Merci à Michel Vézina pour l'invitation.

Merci à Sophie pour tout.

CATALOGUE
2010

WWW.COUPSDETETE.COM

COUPS
DE TETE

Déjà parus

1- *ÉLISE*
Michel Vézina

2007   10,95 $ / 7 €   91 pages
978-2-923603-00-1   Science-fiction

Dans *Élise*, la conquête de l'espace est au centre de tous les espoirs. Élise et Jappy vivent en marge d'un monde qui a tué la dissidence. Élise a fait une connerie. Une grosse connerie. Jappy, amoureux fou, protecteur, capable de tout, risque sa vie pour elle et son salut. Il est même prêt à acquérir un statut social! C'est tout dire…

2- *LA GIFLE*
Roxanne Bouchard

2007   10,95 $ / 7 €   106 pages
978-2-923603-01-8   Roman

Entre sa mère, sa petite amie, sa maîtresse et la mère de la jeune mariée, la joue du peintre François Levasseur se transforme en cible de choix pour une main vengeresse. *La gifle* constitue une leçon de vie exquise pour tous les giflés-nés, mais surtout un mode d'emploi incontournable pour les giflantes naturelles.

3- *L'ODYSSÉE DE L'EXTASE*
Sylvain Houde

2007 10,95 $ / 7 €   115 pages
978-2-923603-02-5   Roman noir

Un centre culturel underground de Montréal est la cible d'un tueur en série. Un enquêteur est chargé de l'affaire. Il sera le premier surpris de se découvrir une sexualité qu'il ne s'imaginait pas. Il plongera corps et âme dans les profondeurs de l'univers extatique qui s'ouvre à lui. Et il comprendra que sa vie ne sera jamais plus la même.

4- *LA VALSE DES BÂTARDS*
Alain Ulysse Tremblay

2007 10,95 $ / 7 €   108 pages
978-2-923603-03-2   Roman

Ils sont six. Ils sont jeunes, pour la plupart. Six voix, un seul destin : l'abandon. Ils sont tous les six en quête d'une vie et ils se croisent, fatalement. Un roman chargé de vérité, celle qu'on préfère ne pas regarder en face, même si elle se joue là, directement sous nos yeux, tous les jours…

5- *LES TERRITOIRES DU NORD-OUEST*
Laurent Chabin

2007 10,95 $ / 7 €   81 pages
978-2-923603-04-9   Roman

Avant, pour distraire les travailleurs, les compagnies organisaient des combats entre des hommes et des ours. Quand ils ont commencé à manquer d'ours, ils ont pris des chiens. Après, ils ont préféré inventer un monde. Parallèle, virtuel, un monde où tout le monde peut devenir tout le monde et se battre contre n'importe qui.

6- *PRISON DE POUPÉES*
Edouard H. Bond

2008   10,95 $ / 7 €   122 pages
978-2-923603-05-6   Roman noir

Une pénétration à vif dans l'univers
ensanglanté d'une prison pour femmes où
les prisonnières tentent de survivre aux
fantasmes d'une directrice et de sa meute,
toutes plus animées les unes que les autres
par le pire des instincts de sauvagerie.
Un roman décapant, à ne pas mettre entre
toutes les mains.

7- *JE HURLE À LA LUNE COMME UN CHIEN SAUVAGE*
Frédérick Durand

2008   10,95 $ / 7 €   88 pages
978-2-923603-06-3   Roman noir

Jacques Larivière, un prostitué mâle, se fait
proposer un contrat qu'il ne peut refuser.
Avec cinq collègues, il est invité à participer
à une orgie organisée par des gens très
importants. Protégés par une équipe de
fiers-à-bras, les grosses légumes vivent
leurs fantasmes, jusqu'à ce qu'un incident
vienne compromettre le plaisir, et que la vie
des invités ne soit soudain en danger…

8- *MARZI ET OUTCHJ*
Pascal Leclercq

2008   10,95 $ / 7 €   110 pages
978-2-923603-07-0   Polar

Le jour des funérailles de son mafieux de
père, Marzi hérite d'un travail pour lequel
il ne s'était jamais deviné de talent. Avec
son fidèle ami Outchj, Marzi doit faire
preuve de grande imagination pour éviter
les pièges qui lui sont tendus. La galerie
de personnages de Marzi et Outchj fait se
rencontrer deux traditions très belges : le
polar et la bédé.

9- *LA VIE D'ELVIS*
Alain Ulysse Tremblay

2009   10,95 $ / 7 €   102 pages
978-2-923603-08-7   Roman

Elvis est un petit gars de La Malbaie. Il a
tout fait, jusqu'à devenir fan de westerns
nocturnes avec son voisin Amérindien…
36 métiers, 36 misères ? Pas du tout ! Elvis
a eu une vie heureuse. Rien ne l'atteint.
Comme le canard, il est calme en surface,
mais pédale comme le maudit sous l'eau.

10- *KYRA*
Léo Lamarche

2008   10,95 $ / 7 €   72 pages
978-2-923603-09-4   Fantastique

Kyra est jeune. À peine pubère. Elle fuit
les armées du Propitator qui ont brûlé son
village, tué sa famille et emmené son père.
« Préférée » du Propitator, son ventre
éclate, elle saigne et se sauve encore.
Elle se réfugie chez les Viwes, avant
de rejoindre les Partisans, pour qui elle
deviendra « la solution ».

11- *SPERANZA*
Laurent Chabin

2008   10,95 $ / 7 €   90 pages
978-2-923603-10-0   Roman

Robinson n'est pas seul sur son île. Il
y traîne encore ses chaînes d'animal
social, dont seules la peur et la démence
parviendront à le libérer. Reprenant le mythe
de Robinson, Laurent Chabin place la
seule possibilité de survie dans le retour du
naufragé à l'état sauvage, dans l'absence
de tout désir de civilisation et dans la
puissance corrosive du rêve.

12- *CYCLONE*
Dynah Psyché

2008   10,95 $ / 7 €   118 pages
978-2-923603-11-7   Roman

Une tempête tropicale menace la
Martinique. Moïse, un père de famille,
disparaît en mer. C'est dans l'angoisse et le
désarroi que ses proches apprennent l'arrêt
des recherches. Moïse serait mort. Et, tandis
que s'approche la tempête, les masques
tombent, les passions s'exacerbent, les
haines se déchaînent, la tragédie se joue et
la mort fauche.

13- *MÉTAREVERS*
Serge Lamothe

2009   10,95 $ / 7 €   117 pages
978-2-923603-12-4   Polar

Comme chaque fois qu'il croit pouvoir
passer du bon temps et se détendre,
Bernard Coste, dit le Gros, se trouve mêlé
à une sale affaire. Mais que peuvent avoir
en commun la mafia corse, les univers
virtuels, le terrorisme, les transsexuelles et
le saucisson sec ? À priori, rien. Jusqu'à ce
que le Gros se pointe…

14- *UN CHIEN DE MA CHIENNE*
Mandalian

2009   10,95 $ / 10 €   106 pages
978-2-923603-13-1   Polar

Il la voit : il la veut. Mené par le bout de
sa queue, il l'aura bien cherchée : de
Montréal à Sherbrooke en passant par la
forêt profonde, il y aura un vol, un accident,
une mort, des armes, de la poutine à la
Banquise, beaucoup de cash… et surtout,
du désir fulgurant.

15- *SYMPATHIES POUR LE DESTIN*
Alain Ulysse Tremblay

2009   10,95 $ / 7 €   142 pages
978-2-923603-14-8   Roman

Carl Hébert, peintre à succès, se lève un matin avec un pied horriblement enflé. À l'hôpital, tandis que la batterie de médecins n'arrive pas à trouver la raison de cette enflure, Carl en profite pour se lier d'une amitié indéfectible avec son voisin de chambre, un fumeur invétéré, comme lui, au prénom magnifique : Elvis.

16- *GINA*
Emcie Gee

2009   10,95 $ / 7 €   92 pages
978-2-923603-15-5   Roman noir

Hank est-il gangster ou tueur à gages ? Le Noctambule est-il le repaire qu'il semble être ? Le Balafré est-il mort ? Et Gina est-elle une simple pute dont Hank tombe amoureux en la découvrant entre les bras de tous les salauds du coin ? Est-elle la fille, oui ou non, du boss ? Mais de quel boss ?

17- *TOUJOURS VERT*
Jean-François Poupart

2009   10,95 $ / 10 €   109 pages
978-2-923603-16-2   Polar

En 2018, les icônes du rock qui n'ont pas encore succombé à leurs années de sex, drugs and rock n'roll sont des vieillards. Leur maison de retraite : Evergreen, une gated community du sud de la Floride, ultime rempart de l'éternelle jeunesse et du faux-semblant. Une brèche s'ouvre, le maquillage coule et nous révèle le plus sombre visage du rêve américain.

18- *SUR LES RIVES*
Michel Vézina

2009   14,95 $ / 10 €   139 pages
978-2-923603-17-9   Polar noir

D'abord un meurtre. Une femme. Retrouvée
sur une plage, déchiquetée. Près de
Rimouski. Puis un homme, assassiné de
plusieurs balles dans le bas du corps,
comme on dit au hockey. Et un meurtrier,
qui boucle la boucle avec une balle dans
la bouche. Mais encore, d'autres meurtres,
tous semblables, avant, après, pendant...
Une histoire impossible.

19- *MORLANTE*
Stéphane Dompierre

2009   14,95 $ / 10 €   154 pages
978-2-923603-18-6   Roman d'aventures

1701. Dans la cale d'un bateau anglais,
Morlante poursuit sa carrière d'écrivain.
Quand le bateau est la cible de pirates ou
d'une armée ennemie, il range sa plume,
sort ses machettes et rentre dans le tas. On
ne marque pas son époque en écrivant des
livres, mais en tranchant des gorges.

20- *MAUDITS !*
Edouard H. Bond

2009   14,95 $ / 10 €   141 pages
978-2-923603-24-7   Roman d'épouvante

Sergio est armé d'une machette, d'un
harpon et d'une haine profonde de
l'humanité. Ça tombe bien, une bande
d'ados en limousine croise son chemin en
s'en allant à l'après-bal. Ils sont saouls,
stones, gonflés de poutine et de désir.
Maudits ! , c'est la légende du croque-
mitaine avec des *stock-shots* cruels volés à
la réalité. *Maudits !*. un roman qui sème la
terreur.

21- *LUNA PARK*
Laurent Chabin

2009   14,95 $ / 10 €   114 pages
978-2-923603-20-9   Roman

Élise et Jappy, les héros d'*Élise*, reviennent
à la charge, mais cette fois-ci sous la
plume corrosive de Laurent Chabin. *Luna
Park* c'est la voix d'une sorte de Big
Brother enfermé devant ses caméras
de surveillance. Quand Élise et Jappy
débarquent avec leur fils, le narrateur
pressent le pire. Et il a raison. *Luna Park* est
un roman magnifiquement dystopique.

22- *MACADAM BLUES*
Léo Lamarche

2009   14,95 $ / 10 €   115 pages
978-2-923603-22-3   Roman noir

Tu entres dans un roman noir, un slam
couleur cafard – un « macadam movie », si
tu préfères. C'est l'histoire déglinguée d'un
mec égaré dans Paname. Il n'a pas d'espoir,
car l'espoir, c'est trop cher dans un monde
où le fric et la dope mènent la ronde. Et
il tente de survivre, happé par le courant,
roulé vers les abysses où l'attendent ses
démons.

23- *LE PROTOCOLE RESTON*
Mathieu Fortin

2009   14,95 $ / 10 €   124 pages
978-2-923603-23-0   Roman d'horreur

Un monstre est capturé en Asie. S'agit t-il
d'un mutant ou d'une créature dont on n'a
encore jamais soupçonné l'existence ?
Trois-Rivières est assiégée. Victor et Julien
tentent d'échapper au fléau, mais les
hommes et les femmes dont le monstre
s'abreuve deviennent eux aussi des
monstres assoiffés de sang.

24- *PARADIS CLEF EN MAIN*
Nelly Arcan

2009   17,95 $ / 13 €   216 pages
978-2-923603-21-6   Roman

Une obscure compagnie organise le suicide
de ses clients. Une seule condition leur
est imposée : que leur désir de mourir
soit incurable. Pur, absolu. Antoinette a
été une candidate de *Paradis, Clef en
main*. Elle n'en est pas morte. Désormais
paraplégique, elle est branchée à une
machine qui lui pompe ses substances
organiques. Et Antoinette nous raconte
sa vie.

25- *ZOÉLIE DU SAINT-ESPRIT*
Dynah Psyché

2010   14,95 $ / 10 €   116 pages
ISBN 978-2-923603   Roman

Tout commence par le récit de ceux qui
ne l'aiment pas et ont eu à subir les pires
catastrophes. Sont-ils paranoïaques, ou
Zoélie est-elle vraiment une sorcière ?
Puis vient l'étrange litanie des ancêtres,
longue lignée de « femmes debout » qui ont
transmis la malédiction de génération en
génération ; et celle des victimes, brisées,
mutilées, vidées de leur sang.

26- *EN-D'SOUS*
Sunny Duval

2010   14,95 $ / 10 €   152 pages
978-2-923603-27-8   Roman

Sunny Duval joue de la guitare et aime
les choses simples. Dans En-d'sous, il
parle de rock, mais aussi d'une ville et de
ses dessous, de ceux qu'on dirait qu'elle
garde un peu secrets. Dans En-d'sous, il
y a cette folie saine et ordinaire des gens
aux sourires sublimes, il y a la richesse du
temps et des désirs, le luxe de faire ce qu'on
veut, quand on le veut.

27- *MARZI À MARZI*
Pascal Leclercq

2010   14,95 $ / 10 €   136 pages
978-2-923603-26-1   Polar

Marzi n'en peut plus. D'abord, il y a les affaires, toujours de plus en plus compliquées, toujours plus difficiles à gérer, et puis il y les amours, toujours difficiles, toujours compliquées. Alors Marzi décide de partir à la recherche de ses origines. : direction Marzi, petit village du sud de l'Italie ! Mais notre homme ne l'aura pas facile.

28- *LA PHALANGE DES AVALANCHES*
Benoît Bouthillette

2010   14,95 $ / 10 €   168 pages
978-2-923603-28-5   Science-fiction

Un nouvel épisode de la série Èlise. À la fin de Luna Park (Laurent Chabin), Élise et Jappy ont mené à terme leur mission… Faut maintenant rentrer sur Terre. Mais Élise a d'autres projets pour Kassad, Lison et Jappy. Même si leur passage sur la Lune ne fera pas que des heureux, les jours qui suivent risquent d'être fertiles en émotions brutes.

29- *LE CORPS DE LA DENEUVE*
Maxime Catellier

2010   14,95 $ / 10 €   120 pages
978-2-923603-29-2   Roman

Le Corps de La Deneuve est une supercherie littéraire consistant à ébranler le lecteur jusque dans ses plus intimes convictions. On y rencontrera des personnages invraisemblables dont Renard d'Omble, Hansel von Krieg, Prince d'Alvéole, le Docteur, les Frères Collier, le Douanier et aussi une femme qui se promène dans Paris avec une hirondelle sur son sein droit.

30- *TOI ET MOI, IT'S COMPLICATED*
Dominic Bellavance

2010   14,95 $ / 10 €   128 pages
978-2-923603-37-7   Roman

Véronique est jalouse et Daniel ne sait pas comment lui annoncer qu'«il casse». Anne-Sophie fait des photos dans un party d'étudiants, où Daniel était tellement saoul qu'il se souvient à peine avoir frenché avec Vickie, la grande chum de Sara qui elle, est amoureuse de Steeve, qui lui, a eu une aventure avec Anne-Sophie pendant le même party, Anne-Sophie, qui elle…

31- *BIG WILL*
Alain Ulysse Tremblay

2010   16,95 $ / 12 €   184 pages
978-2-923603-34-6   Roman

Big Will, c'est l'histoire d'un géant du Nord hanté par ses morts : son oncle, son cousin et sa mère, et puis Olsen et les pirates du Sud, et puis tout un paquet d'autres qui le poursuivent et dont les yeux de braises illuminent ses nuits blanches.
Big Will raconte l'histoire d'une fugue trop longue, l'histoire d'un homme et de ses péchés, l'histoire d'un peuple et d'un pays…

32- *L'HUMAIN DE TROP*
Dominique Nantel

2010   14,95 $ / 10 €   104 pages
978-2-923603-30-8   Science-fiction

Fasciola n'a pas le droit d'exister. Un enfant par famille, c'est tout. Sa mère, Sarah, a caché sa fille jusqu'à ce que des voisines jalouses menacent de la dénoncer. La frêle Fasciola s'enfuit et se rend à Cité-Sur-Mer, la ville flottante et houleuse où les morts engraissent les poissons qui eux engraissent les pélicans qui eux engraissent…

33- *LE SERRURIER*
Mathieu Fortin

2010   14,95 $ / 11 €   136 pages
978-2-923603-73-5   Roman

Liés par les clés et les serrures du désir et de l'amour, Vincent et Rachel, dans le manoir Da Silva de Trois-Rivières en 2006, ainsi que Fernando et Emilia, à la forge Caprotti à Firenze en 1706, devront tenter de contrôler leurs pulsions pour que leur quête de sexe et d'amour ne les mènent à leur perte.

34- *LES CHEMINS DE MOINDRE RÉSISTANCE*
Guillaume Lebeau

2010   19,95 $ / 14,5 €   320 pages
978-2-923603-31-5   Roman

Il y a un écrivain qui veut garder secrète son identité et qui ne tolère aucune intervention de quiconque sur ses manuscrits… Il y a ses éditeurs, prêts à tout pour vendre le plus possible de ses livres… Il y a un enfant atteint d'une variété rare de leucémie et qui veut rencontrer son écrivain préféré. Coûte que coûte.

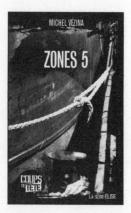

35- *ZONES 5*
Michel Vézina

2010   17,95 $ / 13 €   228 pages
978-2-923603-33-9   Roman d'aventures

Michel Vézina replonge sa plume dans l'encre de *La Série Élise*. Jappy, Élise et leurs amis squattent toujours Blanc-Sablon. Non seulement y mènent-ils leurs affaires illicites, mais en se mettant en lien avec d'autres villages squattés, ils créent autant de Zones autonomes temporaires. Un nouvel âge d'or de la piraterie est-il né?

36- *OTCHI TCHORNYA*
Mikhaïl W. Ramseier

2010   24,95 $ / 16,5 €   550 pages
978-2-923603-87-2   Roman

Zénobe trouve une femme morte dans la salle de bain de son logis parisien. Or cette femme habitait clandestinement dans son appartement. Il trouve ensuite une enfant, la fille de la morte. Que faire de cette fillette qui ne possède aucun papier français ? S'engage alors un périple qui évoluera de la France aux portes de la Sibérie, en passant par Saint-Pétersbourg.

37- *COMMENT APPELER ET CHASSER L'ORIGNAL*
Sylvain Houde

2010   19,95 $ / 14,95 €   320 pages
978-2-923603-79-7   Polar

L'Organisation Révolutionnaire d'Intervention Guerrière de Nuisance Anticapitaliste Libertaire (l'ORIGNAL) fait exploser des véhicules utilitaires sport dans les parkings des centres commerciaux du Québec. Simon Brisebois, journaliste chez Polar Police, est assigné à l'affaire. Son boss, le rédac-chef, veut du sang et de la nouvelle qui pète.

38- *PARK EXTENSION*
Laurent Chabin

2010   16,95 $ / 12,50 €   176 pages
978-2-923603-75-9   Anticipation

Shade, la narratrice, une tueuse impitoyable, ne pourra que s'avouer vaincue face à l'impossibilité de changer le monde. La vengeance est peut-être un plat qui se mange froid, mais il se mijote dans le sang chaud, le sperme tiède et les larmes brûlantes…Après *Élise, Luna Park, La phalange des avalanches et Zones 5*, *Park extension* est le numéro cinq de *La série Élise*